Urs Widmer

Das Paradies des Vergessens

Erzählung

Diogenes

Umschlagillustration:
Pieter Bruegel d. Ä., ›Zwei Affen‹,
1562, (Ausschnitt)
Abdruck mit freundlicher Genehmigung
der Gemäldegalerie Staatliche Museen
Preußischer Kulturbesitz, Berlin
Foto: Jörg P. Anders

Für Daniel Keel

150/90/8/1
ISBN 3 257 01849 5

Die Erinnerung ist das einzige Paradies,
aus dem wir nicht vertrieben werden können.

Jean Paul

Immer schon habe ich jene lockeren Dichter bewundert, die mit den Manuskripten ihrer Meisterwerke, von denen sie keine Kopien besaßen, unbekümmert U-Bahn fuhren oder Sauftouren durch Vorstadtkneipen veranstalteten. Natürlich waren die Manuskripte dann weg, verloren nach einer kalten Nacht unter den Neonlampen eines New Yorker Eiscafés oder aus dem Gepäckträger des Fahrrads gerutscht, auf dem die Dichter im ersten Morgensonnenlicht – Kuckucksrufe ringsum – nach Hause radelten, aus dem Bett einer Geliebten kommend, die jetzt schlummerte und der sie zuerst das ganze Buch vorgelesen hatten, bevor sie sich mit ihr auf den Weg in einen Himmel machten, der uns Sterblichen verschlossen bleibt. Keins dieser Bücher wurde jemals wiedergefunden, und bis heute haben wir nur die Erinnerung an etwas Wunderbareres als alles andere, was die Dichter sonst noch so geschrieben und *nicht* verloren hatten.
Über Jahre hin hatte ich mir vorgenommen, dereinst so stark zu sein, so voller Fülle, daß ich ein dikkes Buch schriebe, in das ich mein Ganzes legte,

fünfhundert Seiten, und das ich dann verlöre. Denn das Schreiben ist das Ziel, nicht das Buch.

Ich schrieb dann tatsächlich so etwas – mein Verleger, der es sah, aber nicht dazu kam, es zu lesen, nannte es sofort einen Roman – und versuchte auch gleich, es zu verlieren. Entgegen meinen Gewohnheiten machte ich lange Straßenbahnfahrten und sprang irgendwo überstürzt ins Freie. Aber immer kamen mir ein netter Mann oder eine freundliche Dame nachgerannt, he und hallo Sie rufend, und überreichten mir mein Buch. Ich bedankte mich überschwenglich. – Einmal saß ich im Restaurant Rose bis lange nach der Polizeistunde und schob dann den beiden Polizisten, die uns Säufer freundlich auf die Straße beförderten – und dem Wirt die Schließung seines Lokals androhten, wenn er sich in Zukunft nicht wenigstens andeutungsweise an die Gesetze halte –, das Manuskript in die Regenmanteltaschen, in zwei ähnlich dicke Packen aufgeteilt. Aber beide – sensible Beamte – spürten sofort das höhere Gewicht ihrer Uniform und drückten mir mein Werk wieder in die Hände, nicht ohne ein bißchen darin herumgeblättert zu haben. »Nicht übel«, sagte der eine, und der andere: »Weitermachen!« Ich lächelte und trollte mich nach Haus, wo ich das Buch auf den Kompost warf, von dem es der Hausbesitzer am nächsten Morgen weghob und in meinen Milchkasten legte, mit einem Zettel drauf, auf dem er schrieb, er, der Hausbesitzer, glaube, ich spräche ein bißchen zu heftig den starken Getränken zu. Aber das Buch sei Spitze.

Es gab noch viele Versuche. Ich flog sogar nach Ibiza und mietete ein Fahrrad, aber die Frau, mit der ich schlief – eine Lehrerin für Schwererziehbare aus Birmingham – schlummerte nach meinem Weggehen keineswegs, sondern rannte mir nackt über den Hotelflur nach und rief, es sei ein Meisterwerk – *»ay masterpiece, darling!«* –, und sie lasse es nicht zu, daß ich es auf dem Gepäckträger dieses lausigen Fahrrads in meinen Bungalow fahre, und her damit! Also händigte ich ihr mein Buch aus – es hieß, wenn ich mich recht erinnere, Der Fluch des Vergessens – und schob das Fahrrad bis vor mein eigenes Bett. Im Morgengrauen schon stand sie davor, küßte mich und legte das Manuskript auf meinen Bauch.

Der letzte Versuch scheiterte dann so: Ich war zu den Solothurner Literaturtagen gefahren, genauer gesagt zu dem Fest, das immer am Samstagabend im Restaurant Kreuz stattfindet, und ließ die von mir beschriebenen Seiten – nach einer Nacht, in der ich mit einer Lyrikerin aus Bern Rock' n' Roll getanzt hatte – auf dem Tisch mit den vervielfältigten Texten aller Teilnehmer liegen. Hier, dachte ich, würden sie in der Papierflut untergehen und als Wellen eines viel größeren Meers irgendwo im Nichts verschwinden. Aber wie es der Teufel wollte, oder Gott, das Buch fiel in die Hände eines Germanisten, der eigentlich seine Reisetasche mit seinem Pyjama suchte, und der las es am selben Abend noch im Hotelbett und hatte natürlich gleich heraus, von wem es war. Er rief mich ein paar Tage später an – ich suhlte mich schon in meinem Triumph –, und ich stotterte, daß mir ein Stein vom Herzen falle und daß ich ihm von Herzen dankte. Ob ich ihm das Buch, wenn es dann erscheine, widmen dürfe? Nach kurzem Zögern sagte er, ja, natürlich, gern, er wolle mir aber, um der Wahrheit willen, doch noch sagen, daß ihm nach einer Strukturanalyse meiner Prosa zwar sofort klar gewesen sei, daß sie von einem Schweizer der jungen Generation stammen müsse – es sei ständig von Geld die Rede, und von Bergen –, daß er aber vor mir dennoch – in dieser Reihenfolge – Max Frisch, Franz Böni, Rainer Brambach, der aber schon tot gewesen sei, und Peter Bichsel angerufen habe. Dieser gestand mir beim Literaturfest des folgenden Jahrs, er habe damals den Bruchteil einer Sekunde lang gezögert, ob er sich das unbekannte Manuskript nicht unter den Nagel reißen solle, denn 450 Seiten, nicht wahr, das sei schon eine Versuchung.

So gab ich das Buch endlich resigniert dem Verleger, der am frühen Nachmittag bei mir hereingeschaut hatte und am späten Abend immer noch dasaß, hinter leeren Veltlinerflaschen verschanzt. »Paß auf!« rief ich ihm nach, als er, mit meinem Buch auf dem Gepäckträger, im diffusen Licht des Vollmonds davonradelte. »So ein Buch schreibe ich nicht jeden Tag!« Er drehte sich nochmals um, winkte und bog dann klingelnd um eine Ecke. Ich ging nachdenklich ins Haus zurück. Da flatterte es nun hinaus in die böse weite Welt, mein Werk, und ich hatte es nicht daran hindern können.
Eine Weile später klingelte das Telefon. Der Verleger. Seine Stimme klang belegt oder verhetzt, wahrscheinlich war er mit seinem Rad, das eine Zehngangschaltung hatte, zu schnell gefahren. »Das Manuskript!« schrie er. »Das Manuskript ist weg!«
»Bist du wahnsinnig?« brüllte ich ebenso laut in den Hörer hinein. »Wie stellst du dir das vor? Ich habe keine Kopie!«
Es war still am andern Ende der Leitung. Dann sagte der Verleger mit einer gänzlich anderen Stimme – sie klang plötzlich wie der Anrufbeantworter eines Immobilienberaters –, er stelle sich das so vor, daß das Buch nun halt im Eimer sei und daß er selbstverständlich für allen entstandenen Schaden aufkomme. Ob 750 Franken o. k. seien? Ich

stammelte Ja und Nein und Doch und warte heute noch auf das Geld, obwohl sich der Verleger schon einmal, anläßlich meines dritten Romans, meine Kontonummer notiert hatte.

Der Roman handelte, wenn ich mich recht entsinne, von einem Mann, der, alt geworden, mehr und mehr das Gedächtnis verlor. Er konnte sich an nichts mehr erinnern – fragte zuweilen seine Tochter, wer sie sei, und, nachdem er die Antwort bekommen und vergessen hatte, um wen es sich denn bei ihm selber handle –, saß ganze Nächte wach im Bett und träumte von Dingen, die ihn an nichts erinnerten. Anemonen in hellgrün sprießenden Wäldern. Seine Krankheit hatte einen Namen, den ich vergessen habe. Etwas wie Schopenhauer oder Sontheimer. Sonst brauchte der alte Mann viele Minuten, bis, beim Pinkeln, die Harntröpflein den Durchschlupf an seiner geblähten Prostata vorbei gefunden hatten, und starrte derweilen auf sein schrumpeliges Schwänzchen, das ihn auch an nichts gemahnte. Die paar Tropfen, die dann dennoch kamen, schwenkte er ungeschickt durchs ganze Klo. Am Morgen schmerzte ihn der Rücken, und am Abend, wenn er den Morgen vergessen hatte, auch. Er saß in Cafés und bestellte Dinge, die es nicht mehr gab. Sagte »Einen Zweier Zwicker bitte«, weil ihm der Begriff in einem Winkel des Kopfs haften geblieben war, und staunte über das, was ihm die Kellner brachten. Zuweilen lachten sie, und die Gäste auch, und es war ihm egal. Er fühlte sich, obwohl es das in seiner Stadt nicht gab, den griechischen Greisen verwandt, die irgendwann einmal, schwarz gewandet, auf einen Stuhl sinken, vor einer weiß gekalkten Mauer, und nie mehr aufstehen. Immer an Ostern, wenn die Jüngern, die noch stehen, die Mauer neu weißen, werden die Stühle mit ihnen drauf um ein paar Meter verschoben und dann wieder zurückgestellt. Das sind die weitesten Reisen der alten Männer in Griechenland, und mancher hat dabei ein unbekanntes Stück Hafen gesehen, oder einen Blick in ein vergessenes Fenster geworfen, auf eine junge Frau, die er dann ein Jahr lang zu vergessen versuchen konnte.

Ja. Der alte Mann beobachtete den Aufstieg eines Käfers über seinen Kittel und dachte überhaupt nicht mehr an das Getränk, das ihm der Kellner irgendwann hingestellt hatte. Im Supermarkt klaubte er so lange in seinem Portemonnaie herum, bis ihn die andern Kunden beiseite schoben. Zuweilen fiel ihm etwas zu Boden, und er bückte sich, und dann fiel er selber um und kam nur mühsam wieder auf die Beine, vor sich hinschimpfend, und wenn er dann endlich stand, lag sein Hausschlüssel immer noch tief unten auf der Treppenstufe. Einmal schiß er in die Hosen, ohne daß ihn zuvor etwas gewarnt hätte, mitten auf der Straße. Menschen grüßten ihn, und er grüßte zurück. Aber wer mochten sie sein? In seinem Haus, dessen Einzelheiten er immer undeutlicher wahrnahm, herrschte ein immer größeres Durcheinander, in dem zuweilen eine fremde Frau, die wie ein jäher Schrecken zur Tür hereinbrach, mit Besen und Staubsauger herumfuhrwerkte. Er hilflos lächelnd in irgendeiner Zimmerecke, die nicht naßgeschwemmt war. Über aufgerollte Teppiche stolpernd. Endlich nahm sie ihm, der immer noch lächelte, das Portemonnaie aus der Tasche und einige Scheine daraus und ging; in denselben Geldbeutel tat dafür ein Postbote Geld hinein, sagte freundlich »So!« und schob alles wieder in die Hosentasche des alten Mannes zurück. »So!« Der sah ihm nach, wie er die Treppe hinabging. Er fragte sich, wer ihm dieses Geld schickte, und gab sich eine Antwort, die er vergaß, so wie ich vergessen habe, was er sonst noch alles tat in meinem Buch.

Jeden Tag jedenfalls ging er aus dem Haus – ein Trieb –, und da er, einmal auf der Straße, nur nach rechts oder nach links gehen konnte, landete er immer entweder im Restaurant Rose – das war, wenn er nach rechts – oder auf einer Bank im Park: falls er

sich nach links wandte. Das heißt, gegenüber waren die Werkstätten des Städtischen Opernhauses, in die er sich zuweilen auch verirrte. Einmal stapfte er stundenlang im Märchenwald für Zar und Zimmermann herum und fand nicht mehr heraus, bis ihn eine Bühnenbildassistentin, die auf Befehl des Bühnenbildners alle roten Blumen in blaue ummalen mußte, schlafend mitten im Jungbrunnen fand, in den das Zauberwasser, in dem sich abends dann, von Musik gewiegt, alle alten Weiblein und Männchen der Oper in Junge verwandeln sollten, noch nicht eingefüllt war.
Lange war der Park, wenn man von der Rose absah, sein einziges Ziel. Er saß auf einer der Bänke beim Kinderspielplatz und fütterte Tauben, deren Sprache er zu verstehen begann. Gurrte stundenlang. Ließ sich von Kindern von früher berichten, während er ihnen das Jetzt erklärte. Hielt strickenden Müttern die Wolle und ließ sich die Schuhe binden. Zuweilen setzte er sich auf eine der Schaukeln und lachte, bis den Mamas die Tränen kamen. (Die Kinderzeit *kann* das Paradies sein.) Einmal lieh ihm ein Junge sein BMX-Rad, und der alte Mann umkurvte Eichen und setzte über Erdschanzen hinweg und kam zurück. Erst als er sich auf die Bank setzen wollte, stolperte er. Kurz darauf bewunderte er den Jungen, ein kaffeebraunes Kind mit krausen

Haaren, das erfolglos versuchte, die Kunststücke des Alten nachzuahmen. Sonst saß er halt da und band Kränze aus Maßliebchen und setzte sie jedem auf, der den Kopf hinhielt. Er lachte über einen Witz, den ihm ein mürrischer Alter, der sich an jede Einzelheit seiner Kindheit erinnerte, aus purer Bosheit jeden Tag erneut erzählte. Als er ihn zum dreißigsten oder auch hundertsten Mal von sich gab, mußte er, von der Unschuld seines Zuhörers angesteckt, plötzlich selber lachen, und die beiden Greise gluckten und kicherten so lange, bis auch die Kinder und die Mütter und die Omas in ein Lachen ausbrachen, dessen Grund sie nicht kannten. Aber alle nahmen dieses Geschenk des Himmels dankbar an. Der Witz war der von den beiden Nilpferden, die in den biblischen Zeiten aus dem fernen Ägypten aufbrachen und dem Stern nach und immer geradeaus und durch die unendliche Wüste gingen und endlich vor dem Stall zu Bethlehem standen und die Tür öffneten und Maria und das Kind erblickten und sagten: Wir sind die heiligen drei Könige und sind gekommen, die Geschenke abzuholen.
Irgendwann einmal ging der Mann wieder in den Park, und statt sich hinzusetzen, ging er durch ihn hindurch und auf der andern Seite durch eine kleine Pforte hinaus, weiter und weiter, vielleicht von den

Nilpferden inspiriert. Er wanderte durch enge Gassen und ging bei Rot über Straßen und lächelte die Autofahrer an, die gegen die Stirn tippten. Einem Eisverkäufer nahm er ein Eis aus der Hand, als dieser es gerade einer Frau in einem türkisblauen T-Shirt geben wollte. Er stolperte in ein Kino, in dem er einen Film ansah als sei er die Wirklichkeit. Der Film handelte von einem alten Mann, logo, der sich in ein junges Mädchen verliebte, und beide stahlen zuerst ein Motorrad und später ein Motorboot und landeten auf einer Insel, auf der sie sich im Sand unter einer Palme wälzten. In den Baumkronen Affen, die die Liebenden mit Kokosnüssen bombardierten. Der letzte Wurf, als das Happy-End schon klar schien und die Musik laut wurde, traf den alten Mann am Kopf, gegen den Willen des Regisseurs gewiß, denn das Licht ging im Kino an, als sei längst alles aus, und der Schock löschte sein Gedächtnis, und er starrte die Frau, auf der er lag, verständnislos an und stand auf und ging ohne Hosen weg und wurde von einem schwarzen Polizisten in einer goldglitzernden Uniform verhaftet. An den Straßenrändern applaudierten Eingeborene in Bastschürzen, denn das Drama spielte irgendwo auf den kleinen oder großen Antillen.

An diesem Tag kam der alte Mann nur nach Hause, weil die Frau, der er das Eis weggenommen hatte,

ihn spät nachts am Seeufer traf, wo er mit hochgekrempelten Hosen versuchte, auf der Wasseroberfläche zu gehen. Sie hatte ihn platschen gehört und führte ihn heim, denn sie arbeitete als Aushilfe in der Rose und kannte sein Haus. Als sie ihm ins Nachthemd half, hatte er ganz für sich allein die Story des Films live erlebt und war in seine Helferin bis über beide Ohren verliebt, und natürlich war es schade, daß er auch das, kaum war sie weg, wieder vergaß. Immerhin wurde er, während er ins Reich des Schlummers hinüberglitt, von den heitersten Bildern gewiegt. Negerinnen mit schweren Brüsten tanzten um Kochtöpfe, in denen die Köpfe von Polizisten kochten. Blumen überall.
Später wurden seine Wege immer weiter. Er ging jetzt oft bis zum See und setzte schließlich mit einem Pedalo zum andern Ufer hinüber. Immer ferner die Schreie des Bootsvermieters. Drüben überquerte er die Bahngeleise, ohne den Gotthardexpreß zu bemerken, der gräßlich pfeifend an ihm vorbeiraste, und stieg die Voralpenhügel hoch. Unterwegs freundlich muhende Kühe, denen er in der Sprache der Tauben antwortete. An diesem Tag wurde er erst aufgegriffen, als es gegen Mitternacht zu regnen anfing. Bis dahin hatte er auf einem Haufen aus Holzscheiten gesessen und den Himmel angestarrt, dessen Sterne ihm immer geheimnisloser

vorkamen. Als seien sie eine Schrift, die lesen zu können er drauf und dran war. Aber dann – irgendwie waren seine Gedanken von den Gestirnen abgeschweift – überschwemmte ihn dieser selbe Himmel plötzlich mit einer Sturzflut aus Wasser, und er rappelte sich hoch und stolperte naß in ein Landgasthaus, dessen Gäste gerade darüber sprachen, was sie mit den fremdfarbigen Menschen, die ihr Dorf immer häufiger aufsuchten, machen wollten: heimschicken oder totschlagen. Der alte Mann, der gleich hinter der Tür umgefallen war und in einer Pfütze am Boden lag, wurde vom Gemeindepräsidenten und vom Wirt auf eine Bank gelegt, und später kam die Polizei und fand in seinen Taschen einen Brief mit seinem Namen und seiner Adresse und fuhr ihn heim, und es war in Wirklichkeit meine Adresse und mein Name. Aber ich tat so, als heiße er wie ich und wohne in meinem Haus und bedankte mich bei den Beamten, die salutierend an die Kappen griffen und mir rieten, besser auf den alten Herrn aufzupassen, sonst sei er dann reif fürs Pflegeheim. Ich führte ihn schräg über die Straße, dahin, wo er wirklich zu Hause war, und half ihm meinerseits ins Nachthemd. Es war ein gestreiftes. Ich löschte das Licht. Wenig hätte gefehlt, und ich hätte ihm einen Gutenachtkuß gegeben. Um das Gefühl zu vertreiben, das dieser Impuls in mir ausgelöst hatte, ging ich ins Restaurant Rose und trank ein paar Biere. Trotzdem träumte ich dann von Kühen, die von Tamilen gefoltert wurden. Immer erneut schreckte ich aus dem Schlaf und saß schreiend im Bett.

Der Verlust meines Buchs brachte mich dafür meinem Verleger näher, und ihn mir. Er rief an einem heiteren Frühlingsmorgen an und fragte mich, ob ich ihn auf seiner nächsten Trainingsfahrt begleitete, und also lieh ich mir vom Wirt des Restaurants Geld und kaufte auch so ein Rad, eins der Marke Motobécane, das sogar elf Gänge hatte. Dazu ein hautenges Tricot, auf dem Panasonic stand, eine schwarze Hose mit eingebauten Schaumgummiwindeln und eine Mütze, auf der Rivella zu lesen war. Der Verleger, als er mich zu unsrer ersten gemeinsamen Fahrt abholte, war ähnlich gewandet. Nur warb sein Hemd für meine Bücher. Er hatte es extra anfertigen lassen. Aber die Mütze war ebenfalls branchenfremd und trug den Schriftzug der Kreditanstalt.
Wir radelten los, die Forchstraße hinauf, dem Pfannenstiel entgegen, er locker voraus und ich, in den Pedalen tobend, in seinem Windschatten. Er war herrlich trainiert und stieß zuweilen kleine Juchzer aus, während ich schon in Zumikon oben wie ein

Verendender atmete. Das hinderte ihn nicht daran, sich mit mir über die Schulter hinweg angeregt zu unterhalten. An diesem ersten Tag beschäftigte ihn hauptsächlich, daß sein Verlag viel zu groß geworden sei. Was solle er mit einer Telefonzentrale und einer EDV-Anlage! Einst sei seine ganze Wirtschaft in einer alten Schuhschachtel gewesen, unter seinem Bett, die *alles* enthalten habe, die Manuskripte und die Verträge und die Einnahmen und auch die Ausgaben, denn von Anfang an habe er sich angewöhnt, diese der besseren Übersicht wegen bei sich zu behalten.

»Ein Buch«, rief er unvermittelt und setzte zu einem Spurt an, so daß ich ihn fast sofort nur noch aus weiter Ferne hörte. »Was soll ich mit einem Buch ohne Menschen?« Er sprang, im Fahren noch, aus dem Sattel und warf das Rad gegen eine Tanne, deren Äste bis unter den Wipfel abgesägt waren. »Ohne Leidenschaften? Ohne Trauer? Freude? Ohne die vergehende Zeit?« Er sah mich anklagend an, als schriebe ich solche Bücher, und trat mit den Beinen in die Luft, um die Muskeln zu lockern. Ich ließ mich ins Gras fallen. Während mein Herz donnerte und ich Sterne sah, rief er: »Eins verzeih ich keinem Autor: Wenn er von sich spricht. Spreche *ich* jemals von mir?!«

Ich schüttelte heftig den Kopf. Ich hatte einen

schrecklichen Durst. Weit unten glänzte der Greifensee, voller Wasser, blau, mit weißen Segeln gesprenkelt. Der Verleger hatte mit beiden Händen den Stamm der Tanne gefaßt und stemmte sich kraftvoll von ihm weg; stretchte abwechselnd das linke und das rechte Bein.

»Ich sehe einem Buch nach«, sagte er, nun doch ein bißchen keuchend, »wenn es niemand kauft. Aber ich will nicht angejammert werden. Ich will Distanz.« Er ließ die Tanne los, ging zum Rad, löste eine Metallflasche vom Lenker seines Rads und schraubte den Verschluß auf. »Zuweilen spiele ich mit dem Gedanken, den Verlag so schrumpfen zu lassen, daß mir *ein* Autor genügt.« Er trank mit langen Schlucken. »Du ahnst ja nicht, das Zeug, das ich tagein tagaus lesen muß.«

»Hm«, sagte ich.

»Und weißt du was?« Er beugte sich zu mir hinunter, als offenbare er mir ein Geheimnis. »Ich kann's nicht ertragen, wenn ein Autor häßlich ist. Verschwitzt, oder voller Pickel. Da raste ich regelrecht aus.«

Er schraubte die Flasche zu, klemmte sie in den Halter zurück und schwang sich in den Sattel. Lächelte mich an, und ich lächelte zurück. Meinte er mich? Er hatte einen runden roten Kopf, aus dem, dicht unter dem Schild seines Käppis, zwei blaue

Augen wie Scheinwerfer leuchteten, einen mächtigen Brustkorb und Waden, deren Muskelstränge ein Zopfmuster bildeten. Dopte er sich? Jedenfalls war er im Nu um die nächste Kurve verschwunden. Ich hob ächzend mein Rad hoch und schob meine Füße in die Metallkappen der Pedale.
Tatsächlich ging nun alles leichter, vielleicht, weil wir schon so hoch oben waren, daß die Luft keinen Widerstand mehr leistete. Ähnlich dem Verleger ging auch ich aus dem Sattel und schwang wiegend hin und her. Die Reifen pfiffen, wenn ich die Pedale nach unten wuchtete. Auf der Paßhöhe fuhr mir ein Wind ins Gesicht, von den Gipfeln der Alpen herkommend, die in der Ferne weiß leuchteten. Ich stieß einen Juchzer aus, so wie es der Verleger vor einer Stunde getan hatte, und tatsächlich sah sich dieser, weit unten schon dem Tal zustrebend, überrascht nach mir um. Er fuhr beinah in eine Leitplanke und legte sich im letzten Augenblick so heftig in die Kurve, daß er flach auf dem Asphalt zu liegen schien. Dann war er weg. Singend, zuweilen freihändig, sauste auch ich dem Zürichsee entgegen, bis nach Küsnacht, wo mein Freund am Ufer stand und Schwäne fütterte. Ich stellte mich neben ihn. Weit jenseits des Sees glitzerte fern die Villa, in der Thomas Mann einst Herr und Hund geschrieben hatte, und andere Meisterwerke. Vielleicht

hatte auch er einmal mit seinem Verleger im Garten gestanden und über den See geschaut, zu uns hin, wir zwei kaum zu sehen von dort.

Mein Buch ging dann so weiter – ich setzte mich jeden Abend an den Gartentisch und notierte alles, was mir einfiel, in ein Wachstuchheft –, daß der alte Mann, der keinen Namen hatte, über den See ging, tatsächlich wie Jesus, obwohl er sich an diesen nicht erinnerte. Es war einer jener eisigen Winter, und der See war zugefroren. Kinder fuhren Schlittschuh, und in Mäntel verkrochene Liebespaare spazierten eng umschlungen. Diesmal ging er noch weiter als das letzte Mal, an dem Gasthaus vorbei, das ihn gerettet hatte, von Bauern auf dampfenden Misthaufen mißtrauisch beobachtet, immer geradeaus, bis er, nach Tagen, in eine Stadt kam. Etwas, natürlich sein Hunger, befahl ihm, in ein Restaurant zu gehen. Es war just eines jener Lokale, derentwegen die Feinschmecker aus dem Häuschen geraten und zu langen Pilgerfahrten aufbrechen. Niemand pürierte den Lauch so wie dieser Wirt, und der Guide Michelin hatte dreimal mehr Sterne über seinem Lokal aufleuchten lassen als einst der Herr über dem Stall von Bethlehem. Das wußte der alte Mann natürlich nicht, als er sich an einen der Tische setzte. Er war so erschöpft, daß er nicht bemerkte, daß er eine Spur aus braunem Schneeschlamm auf dem beigen Spannteppich hinterließ. Die Gaststube war leer. Alle Tische weiß, mit rosaroten Blumen und Tellern, die von hauchdünnen Gläsern umlagert waren. Palmen wuchsen, und ein Fenster war in ein riesengroßes Aquarium verwandelt, in dem farbige Tropenfische schwammen. Der alte Mann setzte sich und wartete. Räusperte sich dann, und nochmals, und rief endlich »Wirtschaft!«. Eine Tür ging auf, und ein Kellner kam herein, ein Italiener wohl, denn er blieb abrupt stehen, starrte den alten Mann an und flüsterte »Dio mio«. Verschwand. Nach wenigen Augenblicken erschien ein massiger Mann, der Wirt, der legendäre Wirt, ein Küchentuch in den Händen, mit dem er sein weißes Gesicht abtrocknete, das rot wurde, während er näherkam. Der Italiener stand neugierig und fluchtbereit hinter dem Büffet. Der alte Mann sah dem Wirt entgegen und suchte in seinem Kopf nach dem Wort für jenes köstliche Kartoffelgericht, jenen angebratenen Fladen, neben dem oft ein wunderbar duftendes längliches Etwas lag, in das hineinzubeißen er jetzt eine unwiderstehliche Lust hatte. Er blickte verlegen lächelnd auf die vielen Teller.

Der Wirt hatte den Tisch erreicht, stemmte die Fäuste in die Hüften und sah mit kleinen Augen auf ihn

herunter. Nicht nur der Boden war verdreckt, auch das Tischtuch, da wo der alte Mann seine Arme aufgestützt hielt, war naß und zerknautscht.
Der Wirt sagte: »So? Was treiben wir denn da?«, und der alte Mann hob den Kopf.
»Sind Sie's?« sagte der Wirt und riß seine Augen auf. »Sind Sie's wirklich?«
»Keine Ahnung«, sagte der alte Mann.
»Das ist eine Überraschung. Aber wirklich. Das müssen dreißig Jahre sein, daß Sie weg sind, oder vierzig.«
»Ich habe Hunger«, sagte der alte Mann.
»Sieht alles ziemlich anders aus hier, gell?«
Der Kellner entspannte sich und kam näher. »Dem Papa macht das natürlich zu schaffen. Aber was wollen Sie. Er hat die Wirtschaft so geführt, wie er das wollte, und ich führe sie so, wie ich es will. Er ist in den Sternen gegangen, weil er dort seine Bratwurst mit Rösti kriegt. Sollte eigentlich längst zurück sein.«
»Bratwurst mit Rösti«, sagte der alte Mann. »Das war's. Einmal bitte. Und ein Bier.«
»Wir haben geschlossen«, sagte der Wirt. »Und zudem haben Sie nicht reserviert. Es ist alles bis in den Frühling hinein ausgebucht.«
Der alte Mann nickte und wollte den Wirt gerade um ein Stück Brot bitten, oder um Salzstangen, als

die Tür wieder aufging und ein anderer alter Mann hereinkam, beinahe eine Spiegelung seiner selbst, ein gebeugtes Männchen in ungebügelten Hosen, allerdings ohne Schuhe, denn diese trug er in der Hand. Er sah auf die Tappen auf dem Teppich und hob dann den Kopf.

»Du?« flüsterte er. »Bist du's?« Er kam näher, vorsichtig, als könne die Erscheinung sich in Luft auflösen. »Bist du es tatsächlich! Nach so vielen Jahren!«

»Mir ist«, sagte der alte Mann, »im Augenblick nicht ganz gegenwärtig, wer Sie alle sind. Eigentlich habe ich nur einen furchtbaren Hunger.«

»Dieter!« rief der andere alte Mann viel zu laut und drehte sich nach dem Wirt um. »Was stehst du rum wie ein Ölgötze! Ist das ein Restaurant oder nicht? Giovanni, los, in die Küche, etwas zum Futtern für meinen Freund, aber subito!«

Der Kellner wechselte einen Blick mit dem Wirt, der nickte, und sofort sauste Giovanni los. Der Wirt stand wie festgefroren.

»Weißt du nicht mehr?« rief der andere alte Mann, der sich nun auch an den Tisch gesetzt hatte und die Schuhe immer noch in der Hand hielt. »Ich ein Bub und du ein Bub? Ich hatte damals den Mund immer offen, so.« Er zeigte es, blöd staunend. »Ich bin Franz!«

»Franz«, sagte der alte Mann. »Danke, Franz. Ich habe ein paar Probleme mit dem Gedächtnis. Wenn ich, Franz, in ein paar Minuten nicht mehr weiß, wie du heißt, nimm's mir bitte nicht übel, Hans.«
»Franz«, sagte Franz.
Sie saßen schweigend da, und auch der Wirt bewegte sich immer noch nicht, obwohl der nasse Hut des alten Manns auf einem der Gedecke und die dreckige Jacke auf dem rosa Polster eines Stuhls lagen. Erst als Franz die Schuhe auf den Teppich stellen wollte, tat er einen schnellen Schritt und nahm sie ihm aus der Hand. Sah vorgebeugt einige Augenblicke lang auf die Flecken und richtete sich dann wieder auf. Hie und da fiel ein Blatt von einer Pflanze. Der alte Mann keuchte durch seine zu engen Bronchien. Endlich kam Giovanni aus der Küche zurück und stellte einen Teller auf den Tisch, ein Stück Käse, einige Scheiben Bündnerfleisch, zwei Radieschen und ein Sträußchen Petersilie. Daneben schob er einen Korb mit winzigen Weißbrotscheiben.
»So sieht das heut halt aus«, sagte Franz. »Iß. Das hilft dem schwächsten Gedächtnis auf die Beine.« Er drehte sich nach seinem Sohn um und zwinkerte ihm zu. Der ging wie erlöst zum Büffet, gefolgt von Giovanni.
Der alte Mann aß.

»Weißt du wirklich nicht mehr?« rief Franz von neuem begeistert. »Die Frau von gegenüber? Die über die eigenen Alarmdrähte stolperte? Die schrillen Klingeln mitten in der Nacht, und dann kam die Polizei?«
»Nicht im geringsten«, sagte der alte Mann und aß das Radieschen samt dem Kraut.
»Wie wir im Steinbruch kletterten?, und eine Lawine aus Kies oder Sand oder Dreck löste sich?, und wir steckten bis zu den Schultern drin und dachten, da kämen wir nie mehr lebend raus?«
»Nein.«
»Wie deine Mutter – ?«
»Das hat wirklich gut geschmeckt«, sagte der alte Mann und schob den leeren Teller von sich weg. »Vielen Dank.«
»Weißt du das alles nicht mehr??«
»Sollte ich?« sagte der alte Mann und stand auf. »Ich muß jetzt weiter. Ich danke dir für das Essen, Fritz.«
»Bitte«, sagte Franz. Er führte seinen Freund zum Ausgang, von dem eine lange Treppe zur Straße hinunterführte. Rechts und links eine Terrasse mit Bäumen, auf deren Ästen weiße Polster lagen, denn es hatte zu schneien begonnen. Unten fuhr eine Straßenbahn vorbei und verschwand in einer wirbelnden Allee. Häuser mit Schuhschachtel-

balkonen, ein Tennisplatz. Ein Schwarm Krähen flog durch das Gestöber heran und setzte sich auf die Brüstung der Terrasse.
»Dort tranken wir einen Apfelsaft, den ich vom Büffet gestohlen hatte, und völlig unerwartet stieg mein Vater aus der Straßenbahn und kam auf die Treppe zu, und wir krochen mit den Gläsern unter den Tisch und wagten nicht mehr zu atmen.« Die Krähen wandten die Köpfe als hörten sie zu, aber der alte Mann zwinkerte weiterhin in den Schnee hinaus. »Als wir noch kein Bier trinken durften, kostete eins hier auf der Terrasse zwanzig Rappen. Heute serviert der Dieter nur ausnahmsweise, wenn ein Stammgast einmal einen ordinären Durst hat, ein Spezialbier aus Dänemark, das dann achtzwanzig kostet.«
»Aha«, sagte der alte Mann.
»Du bist der beste Freund, den ich je gehabt habe«, sagte Franz. »Ich hatte mich schon damit abgefunden, dich nie mehr zu sehen.«
Der alte Mann gab seinem Freund die Hand und ging die Treppe hinunter. Es schneite heftig. Als er unten war, wandte er sich um, sah aber nur wirbelnde Flocken.

Ich weiß nicht warum, aber einige Wochen lang radelten wir nicht mehr zusammen, der Verleger und ich. Er war auf den Buchmessen von Dakar und New York gewesen und hatte sich geweigert, die Weltrechte für Hemingway zu übernehmen, obwohl die Erben sie ihm für einen Pappenstiel aufdrängen wollten, seines guten Rufs wegen. Aber er hielt den Alten Mann und das Meer für eine Kitschgeschichte und konnte dieses ganze Männergehabe nicht ausstehen, dieses Löwenschießen vom Bett aus, in dem der Held zuvor eine Frau, die meistens eine sozialistisch denkende Krankenschwester war, gehörig durchgewalkt hatte. Er war froh, wieder zu Hause zu sein, und stand eines Morgens – um fünf Uhr dreißig; ein herrlicher Sommertag kroch eben aus seiner Wiege – klingelnd vor meinem Fenster, hinter dem ich im Bett lag, ohne Frau und ohne Flinte, mit der ich, hätte ich eine gehabt, auf ihn zu schießen imstande gewesen wäre. So aber stand ich schleunigst auf und ließ ihn ein. Er trug wieder seine Rennausrüstung, hatte aber das Tricot, das für mein Werk warb, durch ein anderes ersetzt. Der Name des Autors war unter einem dick ausgebuchteten Proviantbeutel verborgen, aber der Titel seines Buchs hieß Der Fall Papp, und darunter stand in einem schreienden Pink, daß die Startauflage 80 000 Stück betrage. Das hatte bei mir nicht gestanden. Ich machte noch so benommen einen Kaffee, daß ich das frische Pulver in den Müll warf und nochmals von vorn anfangen mußte. Der Verleger blätterte indessen in meinem Notizbuch, in das ich meine geheimsten Einfälle notiere. Ich buk uns die drei tiefgefrorenen Croissants auf, die noch in der Truhe gelegen hatten, und der Verleger aß zwei davon, obwohl er abwehrend die Hände hochhob und beteuerte, schon gefrühstückt zu haben. Er erzählte von New York. Hatte im Waldorf Astoria gewohnt, wütend zuerst, weil er lieber in jenem Hotel an der 42. Straße gewesen wäre, in dem alle Künstler der Welt schon einmal ein paar Monate verbracht haben. Aber es war ausgebucht gewesen, oder abgerissen, und der Verleger war mit seinem Waldorf Astoria bald so versöhnt, daß er es kaum mehr verließ. Sowieso kamen alle zu ihm, die Hemingway-Bande natürlich und auch die meisten andern Verleger, denn er hatte mehrere Titel, zu denen mein Buch nicht gehörte, die monatelang auf den einheimischen Bestsellerlisten gestanden hatten. Einmal war er auch in New York radeln gegangen, mit Edward Gorey und Woody Allens ältester Schwester, die beide robuste *mountain-bikes* besaßen und mit diesen schon seit Jahren Ausfahrten bis nach Vermont und Maine machten. Der Verleger lieh sich ein altes Damenrad aus, das seinen Standards natürlich nicht genügte: aber er war ja in den Ferien. Besonders Edward Gorey war in einer

Bombenform und fegte so rasant durch die Straßen Harlems, daß der Verleger und Woodys Schwester ihn aus den Augen verloren und in einer Kneipe landeten, in der nur Schwarze saßen. Sie wurden wie Fremde aus fernen Ländern behandelt, besonders freundlich, und tranken Root-Bier. Danach war es mit der Trainingsfahrt aus, und spät am Abend trafen sie Gorey wieder, der jetzt eine Art Frack aus rotschimmerndem Samt trug und ihnen ziemlich böse war. Er schwor dem Verleger, nie mehr einen Schutzumschlag für ihn zu zeichnen. Aber irgendwie bügelten sie das Unglück wieder aus – die Schwester war inzwischen vom Bruder abgeholt worden – und erlebten den Morgen Arm in Arm an jenem Pier, an dem früher einmal die *United States* und die *Queen Elizabeth* angelegt hatten, der Verleger immer noch im Sportlerlook und sein Freund im Frack.

»Noch'n Kaffee?« sagte ich gähnend. »Oder ein Bier?«

»Jetzt zieh dich aber mal an«, sagte der Verleger. »Wir wollen los. Es ist schon spät.«

Ich ging ins Schlafzimmer und zog die Fahrradklamotten an. Inzwischen hatte sich die Katze in meine Schlafmulde gelegt und schlief zufrieden schnurrend. Ich streichelte sie und deckte sie so zu, daß nur noch ihr Kopf hervorsah. Ging in die

Küche zurück. Der Verleger las wieder in meinem Tagebuch. Als er mich sah, rief er »Na dann los«, sprang auf und sauste ins Freie.

Diesmal war der Albis unser Ziel, ein Berg, der in der Tour de Suisse zur dritten Kategorie gehört und für die Asse kein Problem darstellt. Auch der Verleger zeigte keine Mühe und schwebte wie eine Feder die Kehren zur Paßhöhe hinauf, während ich, so früh am Morgen noch, fast sofort völlig außer Atem geriet, so daß ich mehrmals absteigen mußte und am Schluß von einem Bauern mitgenommen wurde, dessen Motormäher einen leeren Leiterwagen zog. Der Verleger übersah meine Ankunft taktvoll, oder vielleicht bemerkte er mein Drama wirklich nicht, denn er saß zwischen fast mannshohen Margeriten und futterte seinen Proviantbeutel leer. Jetzt konnte ich auch den Namen des Autors auf seinem Tricot lesen: Cécile Pavarotti. Eine Frau! Ich warf mich auch ins Gras und begann zu bedauern, daß ich keine Vorräte mitgenommen hatte. Der Verleger aß einen Schokoriegel und sagte etwas, was ich nicht verstand, denn ich setzte gleichzeitig dazu an, ihm zu erzählen, daß ich mich erinnerte, wie Göpf Weilenmann oder eventuell Emilio Croci-Torti in einer längst vergangenen Tour, so um 1948 herum, die Königsetappe von Lugano nach Chur verlor, weil er bei der fliegenden

Verpflegung in San Bernardino den Beutel nicht erwischt hatte. Ein Hungerast. Ich verstummte und sah statt dessen einem Kaninchen zu, das jenseits der Straße herumhoppelte. Die Margeriten, in denen wir saßen, waren naß vom Tau.
»Germanisten sind Arschlöcher«, sagte der Verleger mit vollem Mund. »Tun, als sei ihr Tun eine Wissenschaft, wo es doch zur einen Hälfte ein Handwerk und zur andern Kunst sein sollte.« Er setzte die Feldflasche an den Mund. Sein Adamsapfel hüpfte beim Trinken, und er atmete befriedigt aus, als er die Flasche endlich absetzte. »Dabei ist es ganz einfach.« Er schraubte den Verschluß zu. »Entweder gefällt mir ein Buch, oder es gefällt mir nicht.«
»Ich habe die *Recherche* von Proust nie fertig gelesen«, sagte ich. »Wer ist Cécile Pavarotti?«
»Ich bin froh, daß du mich fragst!« Der Verleger rutschte schnell wie ein Salamander zu mir hin und legte seine rechte Hand auf meinen linken Arm. »Ich bin dir wirklich dankbar dafür, daß du dem Thema nicht ausweichst. Ich wußte, daß du die Kraft dazu hast.«
Ich fühlte mich sofort elend, verlassen, obwohl der Verleger meinen Arm wie in einem Schraubstock hielt. Er strahlte nun übers ganze Gesicht. »Zehn Jahre lang hat sie an ihrem Buch gearbeitet!« rief er

zu den Wolken hinauf, die an einem blauen Himmel zogen. »Es strotzt vor Wirklichkeit bis ins letzte Komma hinein!«

»Ach ja?« sagte ich. Riß eine Margerite aus und kitzelte mit ihrem Stiel einen Marienkäfer, der aber keineswegs wegfliegen wollte.

»Sie erzählt das Leben einer Ministerin in einem kleinen Bergstaat, die von Amts wegen die Geldmafiosi ihres Landes verfolgen sollte. Aber sie ist mit einem von denen verheiratet und zappelt wie eine Marionette an den Fäden, an denen ihr Mann zieht.«

»Das kommt mir bekannt vor«, sagte ich. »Wir hatten doch auch so eine. Wie hieß die nur?«

»Nein, nein, nein!« rief der Verleger sofort. »Das Buch ist *fiction*. Stell dir vor, in der wirklichen Schweiz, du wüßtest einen erleuchteten Augenblick lang auch nur den zehnten Teil dessen, was in jenen Chefetagen verhandelt wird, und schriebst den hundertsten Teil davon auf, und ich druckte das Buch: Am gleichen Tag noch hätten wir die Polizei im Haus.«

»Kein Zweifel«, sagte ich.

»Ich habe allen Mitarbeitern des Verlags gekündigt«, fuhr er fort und zurrte seinen leeren Beutel wieder fest. »*Ein* Buch, das schaff ich allein. Es wird wieder sein wie früher. Ich habe meine Schuhschachtel unterm Bett, in dem ich liege, und hie und da kommt mein Autor vorbei.«

»Deine Autorin«, sagte ich.

»One book, one editor«, der Verleger überhörte meine Bemerkung, »in New York ist das die neue Zauberformel. Man kann natürlich Glück haben, oder Pech. Lord Weidenfeld, der sich auf die Autobiographie von Meryl Streep beschränken will, wird's angenehmer als McGraw-Hill haben, die ihr Programm auf die letzten Worte von Charles Bukowski reduzieren.«

»Scheint ein Trend zu sein, das Schrumpfen«, sagte ich.

Der Verleger nickte. »Du wirst einen neuen Verlag finden, das weiß ich. Ich bin da ganz unbesorgt. Der knallharte Profi, der du bist.«

»Obwohl«, sagte ich und nickte. »Wenn *alle* nur einen Autor haben, oder eine Autorin!«

»Ein Leben *ganz* ohne Probleme gibt es nicht.« Der Verleger schwang sich aufs Rad. »Wollen wir?« Und schon fegte er los, mit einem Antritt, der den Gummi seiner Reifen rauchen ließ. Ich sah ihm hintendrein, seinem Hintern, und warf einen Stein nach dem Kaninchen, der traf. Ich hatte nicht gewußt, daß Kaninchen quieken, wenn sie Schmerz verspüren. Die Sonne stand hoch am Himmel. Es war heiß. Als ich losfuhr, fragte ich mich, ob mir der

Fahrtwind Tränen in die Augen trieb, oder das Ozon.

Als ich zu Hause ankam, saß der Verleger auf den Stufen vor der Tür. Und ich hatte gedacht, ihn nie mehr zu sehen! Er hatte aber keine Lust, in seinen Verlag zu gehen, und wollte ein Bier kriegen. Während ich die Tür aufriegelte, griff er in sein Tricot und holte ein naßgeschwitztes Foto hervor, auf dem eine Frau zu sehen war, um die dreißig, blond, hübsch. Cécile Pavarotti, an der allenfalls auszusetzen war, daß der tiefe Blick, mit dem sie schaute, nicht mir galt. Wir stiegen die Treppe hoch und setzten uns erneut an den Küchentisch.
»Der Fall Papp«, sagte der Verleger, während er sich, sein Glas schräg haltend, ein Bier eingoß. »So was solltest du auch mal schreiben. Unglaublich gut. Der Titel ist übrigens von mir. Erika Papp ist ein Millionärskind, das hoch oben über dem Zürichsee aufwächst, an seiner Sonnenseite, da wo einer, der einen Ford Fiesta fährt, eine komische Tüte ist. Villen mit abwärts fließenden Gärten, von Landschaftsarchitekten mit blühenden Büschen bepflanzt, die sonst nur in Bali oder Sizilien gedeihen. Hunde. Auch Erikas Eltern hatten einen, einen riesigen Schäferhund, was um so befremdlicher war, als sie irgendwie jüdisch hießen. Hirsch,

oder vielleicht Bloch. Die Familie kam aus Deutschland und war längst helvetischer als wir beide zusammen. Als Erika dann Polizeiministerin war, hetzte sie jeden Ausländer, wo sie nur konnte. Solltest du auch mal schreiben, so was.«

Ich nickte, ohne innere Anteilnahme, weil mich mein Hunger schwindlig machte. Riß alle Schubladen auf, fand aber nur Zahnstocher oder gebrauchte Alufolien. Im Kühlschrank stand ein einsamer Topf mit Marmelade.

»Ihre Umsiedlung in die Schweiz hatte nichts mit Auschwitz zu tun«, fuhr der Verleger fort. »Eher mit dem Ersten Weltkrieg. Nein, es war noch früher. Obwohl die junge Demokratie gleich nach 1848 alles getan hatte, den Juden das Leben zu vermiesen, durften diese gegen das Ende des Jahrhunderts wohnen, wo sie wollten. So auch die Großeltern. Sie hatten in München mit Malz gehandelt. Die Firma hatte Pleite gemacht, und ein Großonkel hatte, als sei er ein preußischer Offizier, von Frau und Kind mit einer förmlichen Verbeugung Abschied genommen und sich im Herrenzimmer erschossen. Erikas Opa packte die kümmerlichen Reste des Familienbesitzes zusammen, und fast sofort hatten sie in Zürich wieder einen Malzhandel und ein Haus und bald einmal eins der ersten Autos der Stadt, das der alte Herr mit Lederhaube und

Brille steuerte. Der Erste Weltkrieg förderte, der Teufel weiß warum, auch den Handel mit Malz, und in den zwanziger Jahren trank das *Swinging Zurich* so viel dunkles Bier wie noch nie, ganz zu schweigen davon, was passierte, als die Ovomaltine erfunden wurde. Der Opa wurde Hoflieferant. Kannst du mir verraten«, der Verleger schaute mir anklagend in die Augen, »wieso du immer dein Phantasiezeugs schreibst und nie etwas Wirkliches aus dem Gedächtnis der Geschichte?«
Ich versuchte eine Antwort – Phantasie sei ein besonders gutes Gedächtnis für das Wirkliche –, aber der Verleger hatte seine Frage rhetorisch gemeint und sprach weiter. Ich hörte gerade noch, wie er »Der Vater von Erika« sagte, und bekam einen Hustenanfall. Vor lauter Hunger war mir die Atemluft in die Speiseröhre geraten. Während ich keuchte und würgte, redete der Verleger weiter, und als ich wieder hörte, war Erikas Papa groß geworden und besaß auch ein Auto und eine Frau und jene Villa hoch über dem See, und Erika hatte er wohl auch schon gezeugt, weil sie in meines Verlegers Bericht aus tausend und einer Nacht unversehens durch den herrlichen Garten tollte, von Bienen umsummt, denn nun tobte der Zweite Weltkrieg, und es herrschte ein Friede im Land wie seither nie mehr.

»*To make a long story short*«, sagte der Verleger, dem New York eine zweite Heimat war, »der Paps wurde Protestant wie alle Zürcher und rückte dem Freisinn immer näher, der Partei der Textil- und Maschinenfabrikanten, die im Krieg vor allem deshalb nicht regelrecht faschistisch wurden, weil sie *de père en fils* die Gewißheit vererbt gekriegt hatten, daß die Demokratie, so wie sie sie hatten, eine dem unbehinderten Geldverdienen ideale Staatsform war. *Sie* brauchten keinen Führer, und schon gar nicht so einen. Ihre Urgroßväter waren die Revolutionäre gewesen, die sich die Demokratie gegen zopftragende Herren erkämpft hatten, und sie waren so stolz auf ihre Ahnen, daß sie jetzt hemmungslos konservativ sein konnten, denn sie hatten, was sie wollten: Freiheit, *ihre* Freiheit. Erika wurde ein großes Mädchen und volljährig und besuchte die Universität. Ihr Papa dachte, heiraten werde sie gewiß, einen der Söhne seiner neuen Freunde hoffentlich: Aber sie war auch ein sprödes Mädchen, nicht gerade ein Ausbund an Sinnlichkeit; ein Studium der Rechte mochte die Zeit bis zu dem Tag verkürzen, da sie die große Liebe erführe. Sie war eine Musterschülerin und hielt Referate, die die Sätze der Lehrer so behutsam variierten, daß jeder von ihrer Intelligenz entzückt war. Nie fiel sie unangenehm auf. Kurz vor ihrem Lizenziat lernte sie Herrn Papp kennen, ihr Schicksal, einen Jüngling aus keineswegs reichem Hause, der gerade promoviert hatte und die rechte Hand des Präsidenten jener freisinnig oder liberal genannten Partei geworden war, eines trotz seiner Maßanzüge bäurisch wirkenden Anwalts, der mit dem Beraten von Industriellen schweres Geld machte. Er war, obwohl erst um die 25, der Motor von allerlei politischen Gruppierungen, die das Eigentum schützen sollten und in jedem rot bemalten Kinderfahrrad einen kommunistischen Schachzug vermuteten. Das vertraute Papp, der Ernst hieß, seiner Angebeteten nicht sofort an – obwohl es sie dann nicht störte –, sondern führte sie auf immer längere, immer nächtlichere Spaziergänge, die hinter den schwarzen Bäumen beim Zoo zum Herabzerren der Unterhosen führten. Beide waren naß vor Glück und lagen keuchend nebeneinander. Nun hatten sie ihr Geheimnis. Im folgenden Frühling heirateten sie. Ein weißes Fest in einem Wasserschloß, mit 150 vergnügten Gästen in Abendroben und Smokings. Sogar ein Bundesrat schaute für ein Stündchen herein und schenkte den Neuvermählten eine Kiste Aigle. Erika trat auch in die freisinnig-demokratische Partei ein und übernahm ein paar Funktionen. Schnipselte zum Beispiel Artikel aus staatsgefährdenden Hetzblättern aus – der

Neutralität oder dem Vorwärts – und besuchte auch einmal, in Schwarz und mit einem roten Halstuch, eine Versammlung von Anarchisten im Saal eines Restaurants in Uster. Allerdings war sie die einzige, die wie eine Räuberbraut aussah, und wurde nur deshalb nicht enttarnt, weil die Männer und Frauen, die an langen Tischen saßen, gar keine Anarchisten, sondern Arbeiter einer Spinnerei waren, die entlassen werden sollten. Ihre Voten genügten Erika, sie doch für Anarchisten zu halten, und sie stenographierte alles mit. Ihre Nachbarin dachte, sie sei eine Journalistin, und half ihr bei den Namen der Redner. Ernst war zufrieden mit ihr. Er war Juniorpartner seines Mentors geworden und verwaltete in der Hauptsache Vermögen, die aus Ländern stammten, in denen sie nicht sicher waren. Welcher südamerikanische Industrielle wäre so wahnsinnig gewesen, seine Überschüsse in Cruzeiros oder Pesos zu stapeln. Andere Kunden stammten nur aus Italien oder der Bundesrepublik. Die Spezialität der beiden Anwälte, des alten und des jungen, wurde das Gründen von Firmen, die jenes Geld hin und her schoben. Von den Bahamas nach Liechtenstein und nach Singapore, bis die Steuerämter aufgaben. Ernst hatte eine Sekretärin, die sich bald einmal mit einem roten Kopf über den Schreibtisch beugte. Erika ahnte die Komplizität der beiden, und an einem naßfröhlichen Silvester, als die Gäste endlich zu ihren Autos gewankt waren, fanden sich die drei allein zwischen zerplatzten Ballons und Papierschlangen. Ernst hatte Kräfte für zwei, und die Frauen vergalten sie ihm mit einer Hingabe, die sie zu Schwestern werden ließ. Wenn Ernst eingeschlafen war, leckten sie sich gegenseitig die Wunden. Sie konnten nicht mehr ohne einander sein. Kleideten sich gleich und sprachen von Mann und Geliebtem, als sei er ihr gemeinsames Kind. Ihre Kreise waren aber Kummer gewohnt und tolerierten die Affäre mit feiner Diskretion. Ernst, dem die Leidenschaft der Frauen auch nicht verborgen blieb, betrog diese auf Fahrten nach Mailand, die er immer häufiger im Interesse der Kanzlei unternahm und wo er schon beim zweiten Mal die Bekanntschaft einer Comtessa machte, die den Spieß umdrehte und ihn mit schwarzen Lederriemen an die Bettstatt fesselte. Aus roten Augen starrte er auf ihre blitzenden Zähne und die Peitsche, die auf ihn niederfuhr. Nach der dritten Fahrt mußte er den braven Frauen zu Hause beichten, warum er wie ein Zebra aussah. Erika brach in Tränen aus, aber die Sekretärin wurde sehr erregt und wollte es auch einmal probieren und schlug den armen Ernst halb tot. Nachher weinten alle drei und schworen sich, nie mehr

so etwas zu tun. Mehrere Wochen lang liebten sie sich wie alle andern Menschen. Die Liebesstunden mit der Comtessa hatten aber auch noch einen andern Sinn, denn seine Geschäftspartner waren von der Mafia und wollten den jungen Anwalt aus Zürich verwöhnen. Filmten ihn auch, für alle Fälle. Ernst erschrak heftig, als ihm das alles klarwurde, und dachte eine schlaflose Nacht lang darüber nach, wie er untertauchen könnte und mit Erika und Heidi in der Südsee ein neues Leben beginnen, in Bastschürzen und frischer Unschuld.
Er brach zwar die Beziehungen zur Comtessa ab, nicht aber die zu seinen Mailänder Kunden, denn sein Seniorpartner machte ihm deutlich, daß sie erste Adressen waren, deren er sich öffentlich rühmen durfte. Alle Gelder aus Mailand liefen über die Banco Ambrosiano. Und kaum ein Jahr später wurden beide vom Papst in einer Privataudienz empfangen. Ein jovialer Monsignore stand hinter dem Heiligen Vater, der von einem Besuch Einsiedelns in seinen Jugendjahren schwärmte. Von Geld war nicht die Rede. Nur auf dem Rückweg durch die kühlen Korridore des Vatikans fragte der Monsignore, ob den beiden Herren die *Italotrade* ein Begriff sei. Sie verneinten, und die Firma wurde bald einer der wichtigsten Kunden. Erika, die jüdische Protestantin, und ihr gottloser Mann speisten

von nun an oft mit katholischen Geistlichen in Maßanzügen, die als Zeichen ihrer Würde einzig einen runden Kragen trugen und flink wie die Wiesel auf japanischen Taschencomputern herumhantierten. Einmal wurden sie in ein Kloster hoch über Rom eingeladen, einen Palast voller Blumen, in dem sie so glückliche Tage verbrachten, daß es sie kaum irritierte, daß auch einer der Mailänder Kunden mit von der Partie war und zuweilen mit ihnen plaudern wollte.
Erika, die keine Kinder bekam, kandidierte für den Gemeinderat ihres Dorfs, der ein *Who is who* des lokalen Gelds war. Personalchefs, Anwälte und Cousins der Industriellen, die in jenen Villen wohnten. Die FDP hatte eine satte Mehrheit, und die andern bürgerlichen Gruppierungen waren fast immer ihrer Meinung. Die zwei oder drei Sozialdemokraten, die auch irgendwie ins Dorfparlament hineingeraten waren, wurden so wenig ernst genommen, daß sie sich zu später Stunde an den liberalen Stammtisch im Hirschen setzen durften. Im Nu war Erika Gemeindepräsidentin, die erste Frau auf dem höchsten Stuhl des Dorfs, und packte ihre Aufgabe mit einer unbändigen Energie an. Jeden Ratschlag, den ihr ihr Mann oder der Präsident der Partei gaben, setzte sie enthusiastisch in die Tat um. Das nächtliche Toben mit Ernst war selten gewor-

den, und Heidi war ganz aus ihrem Leben verschwunden. Sie bescherte ihrer Gemeinde den drittniedrigsten Steuerfuß der Schweiz und einen Dorfplatz, der in den Zeitungen als ein Modell neuzeitlicher Kommunikation gefeiert wurde. Die Einweihung war ein Volksfest. Kinder ließen Ballons der Schweizerischen Bankgesellschaft in die Lüfte steigen, und die Gemeinde schenkte siebenhundert Liter lokalen Blauburgunder aus. Erika führte die geladenen Gäste – einen ganzen Troß aus Würde und Anstand – durch die unterirdischen Parkplätze und die Station der Lokalbahn, die mitten aus einer grünen Landschaft unter den Dorfplatz tauchte und dort an einem Bahnsteig aus Beton und Neonlicht hielt. In einer leeren Eternitschale stehend, in die die Geranien noch nicht gepflanzt waren, erläuterte Erika die Struktur des Platzes: wies auf das Café, in dem man auch einen Hot dog kriegen konnte, die Bank, das Postamt und die Gemeindeverwaltung. In einer Ecke ein Sandkasten für die Kinder und eine Rutsche, die etwas lang geraten war und auf einem der Steinklötze landete, die der Platzbegrenzung dienten. Die Gäste waren ebenso begeistert wie die Bewohner der Gemeinde, die bis tief in die Nacht an langen Tischen sitzend den geschenkten Wein tranken, so daß ihnen später, als die Tische verschwunden

waren, der Platz etwas leer vorkam. Erika wurde vom Präsidenten der Partei beiseite genommen – so weit in eine dunkle Ecke in der Tat, daß sie einen erschrockenen Augenblick lang dachte, er wolle sie küssen – und gefragt, ob sie bereit wäre, in den Vorstand einzutreten und fürs eidgenössische Parlament zu kandidieren. Ernst sei auch einverstanden. Rot vor Stolz sagte sie ja. Drei Monate später war sie Nationalrätin, vom Volk gewählt. Solltest du auch mal schreiben, so was. Glaub mir das.«
Der Verleger zog sein naßgeschwitztes Tricot aus und saß nun mit nacktem Oberkörper da. Obwohl er prächtig trainiert war, liefen zwei dicke Wülste quer über seinen Bauch. Seine Frau war eine wunderbare Köchin, und sein Beruf hatte ihn bisher zu üppigen Essen mit seinen vielen Autoren verpflichtet. Bei den *dîners intimes* mit Cécile konnte er ja nun abspecken. Als könne er meine Gedanken lesen – natürlich konnte er das –, bekam er Lust auf eine Pizza, und ich sauste also zur Migros hinüber. Während die Pizza im Ofen war, erzählte er, daß Cécile auch radfahre. Sie hätten sogar schon ein paar Ausfahrten zusammen gemacht. Den Klausen habe sie bewältigt, ohne aus dem Sattel zu gehen. Heute sei er auch zuerst bei ihr vorbeigeradelt, aber als er unter ihrem Schlafzimmerfenster die Erkennungsmelodie gepfiffen habe, sei ein Mann, gäh-

nend und in einem Morgenmantel aus lila Seide, auf ihren Balkon getreten, der überhaupt nicht ihrem, um so mehr dafür dem alten Ledig-Rowohlt geglichen habe.
»Kann Ledig-Rowohlt radfahren?« fragte ich und holte die Pizza aus dem Ofen. Ich schnitt sie in zwei Hälften.
»Eher nicht.«
»Was will sie dann mit ihm?«
Er zuckte ratlos die Schultern und hieb die Gabel in seine Pizzahälfte. Auch ich mampfte. Die Pizza war außen verkohlt und innen eisig. Der Verleger war so in Gedanken, daß es ihm nicht auffiel. Ich dachte daran, daß Ledig-Rowohlt, wie der ganze Hamburger Clan, Gläser zum Frühstück aß; aber Cécile war ja wohl nicht aus Glas – zerbrechlich sah sie nicht aus –, und es bestand wenig Gefahr, daß er sie meinem Freund wegfraß.
Der Verleger hatte immer langsamer gekaut und spuckte nun das Gekaute in seine hohle Hand. Ich schob ihm den Aschenbecher über den Tisch, und er schüttelte seinen Pizzaklumpen hinein. »Immer öfter«, er nickte mir zu, »wurden Ernst Papps Mailänder Freunde von Geschäftspartnern aus dem Libanon oder aus Bolivien begleitet. Sie kamen für einen Abend in der *first class* angejettet, in denselben Flugzeugen vielleicht, in denen weit hinten

auch jene armen Schweine saßen, ihre Kuriere, die dann, während sie mit Ernst speisten, irgendwo in einer Pension auf dem Klo saßen und versuchten, die dreiunddreißig mit Heroin gefüllten Präservative, die sie hinuntergeschluckt hatten, wieder auszuscheißen. Warum schreibst du nie *so was*?«
»Eines Tages«, sagte ich gereizt, »schreibe ich eine so heiße Story, daß es dich reuen wird, sie gedruckt zu haben.«
»Das mach mal mit deinem nächsten Verleger aus«, antwortete der Verleger und stand auf. »Wieso versuchst du es nicht mit Rowohlt?«
Er öffnete den Schrank, begann in meinen Hemden herumzuwühlen und zupfte endlich eins heraus, just die rote Bluse meiner Frau, ein kostbares Stück Seide, das sie bei ihrer Flucht vor mir hängen gelassen und in das ich noch am Abend zuvor meine Nase vergraben hatte. Vielleicht war es noch naß von meinen Tränen. Meine Frau, Isa, liebt einen Kinderarzt, der auch bildhauert, und braucht die Bluse nicht, weil sie Tag und Nacht auf einem Sockel steht, die Arme über dem schönen Kopf verschränkt, und er meißelt sie in Marmor. Der Verleger hatte die Bluse nun an. Der Stoff, da wo ihre Brüste gewesen waren, schlappte an ihm herum.
»Zieh das aus«, sagte ich. »Zieh das sofort aus.«

Ich sprang vom Stuhl hoch und packte die herrliche Seide. Meine Faust bebte.
»Sachte, sachte«, sagte der Verleger.
»Ich schreibe viel bessere Bücher als deine Cécile«, schrie ich. »Sie mögen erfunden aussehen, aber jedes Wort ist die schmerzvolle Erinnerung an etwas Wirkliches. Mit dem Kram dieser Pavarotti lockst du keinen Affen hinter dem Ofen hervor.«
»Keinen Hund.«
»Was?«
»Man sagt: keinen Hund«, sagte der Verleger. Ich wollte ihn über den Tisch ziehen, ihm meine Meinung zu sagen, und zerriß die Bluse. Sie zerfiel in drei ähnlich große Teile, von denen ich einen in den Händen hielt, während die beiden andern am Verleger hingen. Ich sammelte sie ein und tat sie in den Müll. Gab dem Verleger ein altes T-Shirt von mir. Er zog es an. Es war ihm zu eng und zu kurz.
»Vielleicht solltest du doch eher zu Ammann gehen«, murmelte er. »Er ist zäher als Ledig.«
»Entschuldige«, sagte ich. »Ich bin mit meinen Nerven am Ende. Verlier du mal ein Manuskript, an dem du vier Jahre lang gearbeitet hast.«
»Aber klar.« Der Verleger faßte über den Tisch nach meiner Hand. »Klar doch.«
»Erzähl deine Geschichte zu Ende.«
»Nun. Die Bolivianer belächelten die politischen

Strukturen der Schweiz und beschrieben die Vorzüge der ihren. Ernst staunte, wie leicht sie Gedanken aussprachen, die er so deutlich noch nie zu denken gewagt hatte. Die herrschenden Zustände, obwohl fraglos Menschenwerk, waren ihm immer wie die Natur vorgekommen. Die Bundesverfassung und das Matterhorn waren aus demselben Gestein. Alle lachten, als sie seine Verlegenheit bemerkten. Sie saßen in einem Gartenrestaurant über Meilen und schauten auf die fernen Gipfel. Bäuerinnen heuten auf einer steilen Wiese, die Beine in den Abhang gestemmt. In ihren Ländern, führten die Gäste aus, sei eine Trennung zwischen Staat und Industrie eine groteske Vorstellung. Das Parlament und die umsatzstärksten Firmen seien identisch, und so könne sich die Gesetzgebung jederzeit an den Bedürfnissen des Markts orientieren. Für sie sei es irritierend, Anwesende natürlich ausgenommen, wenn sie sich in der Schweiz zuweilen fast ein bißchen wie Kriminelle fühlen und ihre Geschäftsabschlüsse mit gedämpfter Stimme tätigen müßten. So was gebe es bei ihnen nicht. Als der Parteipräsident einwandte, der Nationalrat, vom Ständerat ganz zu schweigen, fresse ihm doch auch aus der Hand, brachen alle in ein so herzliches Lachen aus, daß er auch nicht lange ernst bleiben wollte. Immerhin, rief er in einem letzten Versuch, mit den idealen Zuständen in Südamerika mitzuhalten, die Energiepolitik werde bei ihm im Büro gemacht und sicher nicht in Bern. Später saßen sie in der Bar des Baur au Lac und sprachen vom Börsenkrach, der einen unter ihnen, einen Libanesen, zum reichsten Mann der Welt nach Kasanasian und Getty IV gemacht hatte. Er wohnte längst nicht mehr in Beirut, sondern in einem weißen Palaste an der – er lachte, als er das sagte – *Costa de la mierda*. An jeder Bombe, die auf seine Vaterstadt fiel, verdiente er $ 20 000. Sie saßen bis gegen vier Uhr zusammen. Auf dem Heimweg durchs nächtliche Zürich öffnete sich der Senior dem um mehr als eine Generation jüngern Ernst. Er beschäftigte sich seit Jahren damit, die Idee der Demokratie radikal zu Ende zu denken. Ihre Vorteile zu wahren – den sozialen Frieden, den umfassenden Konsens, die Würde der Bürger – und ihre Nachteile auszumerzen. Jene Unberechenbarkeit des Staats, die kostenintensive Entscheidungen so schwierig machten. Auf kantonaler Ebene seien, wenn auch nicht die eigentlichen Entscheidungsvorgänge, so doch die Kommunikationsstrukturen befriedigend entwickelt: In Basel zum Beispiel reiche in der Regel ein Telefonanruf, um ein politisches Problem zu lösen. In Zürich, weil da die Interessen der Industrie divergierender seien, sei es nicht ganz so einfach, aber alles in allem

stünde ihnen der Stadtrat durchaus nahe. Jeder Bundesrat jedoch, kaum sei er gewählt, entdecke in sich verschüttete archaische Gefühle aus den Urzeiten des politischen Handelns, so etwas wie eine Verantwortung für das Ganze. Sogar die Kandidaten der eigenen Partei, die im Parlament die verläßlichsten Interessenvertreter gewesen seien! Deshalb seien, verrückt genug, die sieben Minister unberechenbarer als das zweihundertköpfige Parlament, industriefeindlich zuweilen beinah. Das Parlament koste zwar Geld – Verwaltungsratssitze für jeden Depp –, funktioniere aber zufriedenstellend. Eben. So denke er seit langem über eine Konstruktion nach, die die höchsten Minister ähnlich zuverlässig werden lasse. Im Idealfall müßten sie auftragsgebunden votieren und sich dabei frei und autonom fühlen. Im Dienste jenes Ganzen. Erika sei doch immer ein robuster Papagei gewesen. Er sehe sie durchaus als Vorsteherin des Departements des Innern. Was, Ernst?
Warum kandidieren Sie nicht selber? fragte Ernst.
Der Präsident sah ihn fassungslos an. Eigentlich müßte ich Sie, rief er, auf der Stelle entlassen. Jetzt rede ich seit einer halben Stunde, und Sie fragen mich so was!
Sie schlenderten über den Lindenhof, der so dunkel war, daß sie sich nicht mehr sahen. Die Stadt, tief

unter ihnen, war verschwunden. Sterne, und ein Wind, der die Linden rauschen ließ. Ein Käuzchen rief vom Turm von St. Peter herüber. Erika wäre dieser Aufgabe sicher gewachsen, sagte Ernst leise.
Siehst du, sagte der Präsident irgendwo aus der Nacht heraus. Sagen wir uns du. Ich heiße Fritz. Ich bin jetzt bald siebzig. Ich brauche auch einen Freund.
Sie tasteten, bis sich ihre Hände fanden, im Dunkeln herum. Ließen sich lange nicht los. Gingen die Stufen zum Fluß hinab und schauten ins Wasser, ohne weitere Worte zu finden. Dann winkte Fritz ein Taxi heran, stieg ein ohne einen Abschied. Ernst, der ganz aufgewühlt war, ging zu Fuß bis zur Rehalp, wo er doch seine wehen Füße zu spüren begann und seinerseits ein Taxi bestieg. Zwei Jahre später war Erika Innenministerin.«
»Die Wirklichkeit ist viel banaler«, sagte ich, immer noch aufgebracht. »So grauenvoll, daß *keiner* das alltägliche Elend der Politik wahrhaftig zu beschreiben vermag, ohne daß ihm seine Leser wegschlafen.«
»Versuch's trotzdem.« Der Verleger sah mich an, als sei ich ein Kind, das sich nicht traut, vom Rinnstein zu springen. »Wie ist es denn wirklich?«
»Wir haben Angst vor den Negern«, sagte ich, um

ihn wütend zu machen, denn ich spürte, wie mein Inneres kochte. »Wir sind froh, wenn sie verrekken. Je mehr von ihnen im Sudan verhungern, desto länger dauert es, bis sie zu uns kommen, in riesigen Horden, und uns totschlagen, sich rächend für alles, was wir ihnen angetan haben.«

»Das eine schließt das andere nicht aus«, sagte der Verleger, überhaupt nicht erzürnt. »Ich pumpe auf jeden Fall 80 000 Exemplare in die Buchhandlungen. Das Buch wird der Renner des Jahres, jede Wette.«

Mir war es egal. Ich hatte sowieso kein Buch mehr. Begann mich danach zu sehnen, an meinem Gartentisch sitzen zu dürfen und dem Schatten meines Helden nachzuspüren, der immer noch im Schneetreiben herumtappte, orientierungslos ohne mich. Ich nahm den Aschenbecher mit den Pizzaresten und stellte ihn in die Spüle.

»Hör das Ende an!« Der Verleger stand auf. »Banaler geht's nicht. Erika arbeitet ein Gesetz aus, das das Waschen von illegal erworbenen Geldern unterbinden soll. Ernst, von Fritz beraten, berät sie. Schreibt das Gesetz eigenhändig um. Erika verteilt es an jedermann, mit allen Korrekturen. Als sie die allgemeine Erregung bemerkt und ihren Grund erfährt, behauptet sie, ihren Mann kaum zu kennen. Bestreitet, wessen sie sich am Tag zuvor noch ge-

rühmt hatte. Dennoch tritt sie erst zurück, als Fritz tobt wie noch nie. Zum ersten Mal verprügelt Ernst sie ohne jede Liebe. Sie weiß sich unschuldig. Noch viele Jahre lang, Jahrzehnte, gibt sie Interviews, die sich allmählich in Märchen verwandeln. Oft sitzt sie, eine struppige Person, am Sandkasten des Dorfplatzes und erzählt den Kindern vom kleinen Mädchen, das einen König hat, der sie nicht liebt. Ihr wirklicher Papa, ein steinerner Greis wie Moses zuletzt, stirbt und hinterläßt ihr 45 Millionen. Sie steht dennoch immer häufiger in der U-Bahn-Station, läuft neben den Fahrgästen her und ruft, alles hier hätten sie ihr zu verdanken. Hie und da gibt ihr einer eine Münze. Noch später sieht man sie oft in einer Gaststätte im Kreis 4, hinter den Bahngeleisen, wo sie die falsche Papp heißt, weil ihr niemand glaubt, daß sie die richtige ist.«
Wir standen vor der Haustür. Ich trat von einem Fuß auf den andern, und mein Freund schwang sich in den Sattel. Er trug wieder sein Tricot, allerdings verkehrt herum, so daß der Name seiner Freundin in Spiegelschrift durch den dünnen Stoff leuchtete.
»Ich schreibe mein Buch ein zweites Mal«, sagte ich. »Das Wichtige vergißt man nicht. Nur den Schrott.«
»Umgekehrt wird ein Schuh draus«, sagte der

Verleger. Da ich nicht verstand, was er damit sagen wollte, hielt ich ihm meine Hand hin. Er nahm sie.

»Ernst«, sagte er, ohne sie loszulassen, »verliert alle seine Klienten. Keiner grüßt ihn mehr, auch Fritz nicht. Er versucht, Erika entmündigen zu lassen, leistet aber schon der ersten Vorladung ins Zivilgericht keine Folge. In den letzten Jahren sieht man ihn im Bahnhof sitzen und mit Kreide Bilder auf den Asphalt malen, Christusse meist. Es gibt auch eine Art Untersuchung des Falls, bei der aber nichts weiter herauskommt.«

Endlich ließ er meine Hand los und startete. Bevor er um die Ecke bog, drehte er sich nochmals um und rief: »Gute Story, was?« Ich ging die Treppe hinauf und wusch die Hand, die so ewig in seiner Pranke gelegen hatte. Tomatensauce und Mozzarella. Im Aschenbecher lag das Foto Cécile Pavarottis. Ich wischte es sauber und sah sie an, ihre schönen Augen. Ging in den Garten hinunter, der eher ein Kiesstreifen ist, so schmal, daß nicht einmal ein Tischtennistisch darauf Platz findet. Dicht vor mir wuchs die Mauer des Nebenhauses so hoch und blau in die Höhe, daß ich sie für den Himmel hielt. Sah eine Weile zum fernen Horizont hinüber. Öffnete dann das Wachstuchheft und brauchte ein paar Minuten, bis mir einfiel, an was ich mich zu erinnern versuchte.

Noch viel mehr Zeit verstrich, bis ich den alten Mann gefunden hatte. Ich geriet so weit in mein Gestöber hinein, daß ich mir des Heimwegs nicht mehr gewiß war. Der alte Mann ging um eine Baumgruppe herum, um tiefverschneite Tannen, oder Palmen vielleicht. Sein Gesicht strahlte. Nein, sein Weg war eine Spirale, immer erneut sich dem alten Ort nähernd und doch einen neuen suchend. Ort und Mann waren nicht mehr dieselben bei der nächsten Runde um die Bäume. Bald auch geriet er neben sie. Er war jetzt so ohne Schmerzen, oder er fühlte das Leid so allgemein im ganzen Körper, daß er keine Unterschiede mehr machte. Schnee oder Sand. Mann oder Frau. Wolf oder Schaf. Er kam natürlich nur langsam voran mit seiner seltsamen Kurventechnik – ich folgte ihm mühelos –, aber seine Schritte zögerten kein bißchen, als er an einem Stadel vorbeiging, in dem dürre Leichen aufgeschichtet lagen. Er winkte einem Knaben, der auf einem Kirschbaum saß und Kerne auf ihn spuckte. Mich spuckte er auch an. Der Stein flog in einem sanften Bogen durch mich hindurch und landete in meinem Rücken. Später, als die Sonne allen Schnee weggeschmolzen hatte, erklärte ein weißer Arzt einem Jüngling, daß er es nicht mehr lange machen werde mit diesem Herzen. Der alte Mann drückte ihm im Vorbeigehen die Hand. Schnüffelte, ohne innezuhalten, an Blumen, Männertreu vielleicht, Enzianen. Irgend etwas Ausgestorbenem. Nochmals wand er einen Kranz aus Maßliebchen, aber diesmal setzte er ihn sich selber auf: unterschätzte seinen Riesenschädel so sehr, daß der Blumenreif winzig darauf lag. Gibt es einen Namen, rief er über die Schulter zurück, für diese Folge immer neuer Augenblicke? Da erst merkte ich, daß er wußte, daß ich ihm folgte. Gewohnheit, rief ich. Er streichelte zwei schnurrende Katzen, Frau und Kater, und verknotete hinter ihren Rücken die Schwänze, und wenn ich nicht gewesen wäre, drehten sich die Tiere heute noch im Kreis. Er ging zwischen Tanten und Cousinen hindurch, ohne Schaden zu nehmen. Wie war die Erde scheußlich. Jeder Meter voller Plastiktüten, auf denen stets ein Vater stand, der seiner Tochter den Ausblick vom Pilatus aufs Kap Sunion erläuterte. Diese Kinder, skeptisch schauend, waren die einzigen, die den alten Mann sahen, der jetzt eine Art Eigernordwand hochkraxelte, ohne Seil und Angst. Ich am Fernrohr auf der Terrasse eines Bergrestaurants voller Touristen. Mehrmals war er plötzlich woanders, einmal in der Spinne, dann am Hubeggerdreh, und dann auf dem Gipfel.

Ich hatte ihn zweitausend Meter tiefer bei den Kühen gesucht. Ging ihm auf der Normalroute entgegen und fand ihn auf einem Schneefeld, das er auf dem Hintern herabgerutscht kam. Keine Toten oben, sagte er. Aber auch sonst nichts Besonderes. Diesmal hatte ich meine Augen offen. Das war die letzte Bergfahrt. Später kniete er zwischen vom Ozon zerfressenen Arvenresten und tastete in fauligen Moospolstern herum. Weißt du, was eine Alpenrose ist? Ich schüttelte den Kopf. Hast du bemerkt, daß ich singe? Zum ersten Mal mußte auch ich lachen auf dieser Wanderung. Nein, wirklich nicht, sagte ich. Er: Innen im Kopf. Er rannte durch hohes Gras davon, das schräg in einem Küstenwind lag, nein, er fegte über das Wasser eines Meers, gischtend wie ein Delphin. Immer noch, übrigens, ging er seine Spiralen. Darum natürlich, ich Depp!, war seine Kletterei so seltsam gewesen. Andere hatten den freien Fall als Richtschnur genommen und waren dennoch langsamer gewesen. Ich versuchte es auch mit dem Wasser, weil er mir winkte; geriet aber sofort ins Nasse, den Kopf in Algen verheddert. Tauchte nach Atem ringend auf. Die Oberfläche glänzte von schwarzem Öl. Eine Spirale aus Azurblau hinterlassend glitt er der Sonne entgegen. Trug tatsächlich einen Delphin in den Armen, mit dem er in jener Quieksprache sprach. Eine winzige

Silhouette zuletzt. Wenn ich ihn nicht in einem Theater wiedergetroffen hätte, in dem ich Dantons Tod inszenierte, hätte ich ihn vergessen. Die Premiere hatte schon begonnen, und ich betrat den Zuschauerraum mit jener fatalistischen Lockerheit, die die Haltung dessen ist, der nichts mehr beeinflussen kann. Sah nur die Beine meiner Darsteller, die weißen Hosen des Danton und die nackten Füße einer Frau. Marie, aber die war doch im andern Stück. Der alte Mann – ich sah ihn von hinten – hing über eine Proszeniumsloge gebeugt, zwischen zwei Frauen, die ebenfalls nach unten blickten und von denen eine auch unbekleidet war. Er nahm einen Schluck Lebertran aus einer braunen Flasche. Plötzlich sprang die nackte Frau über die Brüstung, landete krachend tief unten irgendwo. Entsetzt rannte ich an ihren Platz und sah auch in die Grube, den Alten neben mir, der gelassen einen langen Arm mit einem endlosen Finger nach unten streckte und die Warze einer Brust der reglos auf dem Rücken liegenden Frau berührte; und siehe, sie regte sich. Er sah mich an, hatte irgendwas Verschmitztes. Bist du Gott? sagte ich. Aber bevor ich eine Antwort kriegte, war er weg, ein Kobold, mit der bekleideten Frau an der Hand, und gleich sah ich beide wie die Irren eine Skipiste hinunterrasen, weg in den Theaterhintergrund hinein. Das Stück ging dann irgendwie zu Ende und landete bei Dantons Tod. Prasselnder Applaus. Wie sollte ich jetzt allein heim finden. Ich tappte lange durch ein himmelblaues Nichts, den Himmel vielleicht. Hie und da ein Jet. Einmal winkten mir Kinder aus den Fenstern. Ich hatte mich an das seltsame Gehen auf den Wolken gewöhnt, das sich mit dem Schreiten auf einem Trampolin vergleichen ließ. Wo sollte ich mich hinwenden. Wo doch die Richtungen so gleich aussahen. Nur eine Gewitterfront dort, Blitze, die nach unten fuhren. Ein Wind trieb mich dahin, und ich wurde von einer Entladung nach unten gerissen. Stürzte durch Regengeprassel und lag dann zwischen Steinen. Ein Hund zerrte an mir, schleifte mich dahin und dorthin. Aber die Stimme seines Herrn, der keuchend näher kam, gehörte dem alten Mann. Er sah wie ein archaischer Hirte aus, war auch einer, trug mich auf seinen Armen. Zwischen Schafen sitzend, rieb er mich trocken, am Ort, wo später Delphi gebaut werden sollte. Disteln wucherten, Lavendel duftete, Eidechsen huschten. Geister überall, das Orakel war ja noch nicht gebaut, und sie mußten sich noch nicht verstecken. Keiner war noch gekommen, ein Rätsel zu lösen. Es gab noch kein Wissen, so wie es heute keins mehr gibt. Jedes Entdecken war ein Jubel. Ich sah einen wie grünes Gold schimmernden Käfer.

Auch die andern – Nymphen, Kobolde – blickten entzückt. Aber sofort wurden wir abgelenkt von nie gesehenen Blumen und neuen Glitzersteinen. Auch der Himmel war frisch. Luft, noch nie von jemandem geatmet, und Wasser, das wir erstmals tranken. Der alte Mann hatte eine Flöte, auf der er fünf Töne spielte. Es fehlte uns kein weiterer. Es fehlte uns nichts. Der junge Philemon verschlang sich in die kleine Baucis, die entzückt die Augen schloß. Die Geister versuchten sie nachzuahmen, aber dieses Geheimnis der Menschen blieb ihnen verschlossen. Wir wurden erst vertrieben, als städtisch aussehende Männer – Ledersandalen, weiße Tücher über den Schultern – den Berg herauf kamen und das Land zu vermessen begannen. Wir hinter den Felsen. Der alte Mann warf einen Stein und erschlug den Geometer. Dennoch stand bald ein runder Säulentempel da, und wir zogen davon. Immer ferner die Gläubigen, die ekstatisch kreischten. Der Weg, den sie gekommen waren, voller abgenagter Hühnerknochen und Kothaufen. Wir verloren uns, weil die Geister eine leichtere Art der Fortbewegung hatten. Auch die Nymphen glitten in Bäche und verwandelten sich in Wasser. Die Kobolde hängten sich Geiern an die Füße und segelten Abhänge hinab, bis sie grölend im Ginster landeten. Nur ich, und seltsamerweise doch auch der alte

Mann, schleppten uns mühselig voran. Bald taumelten wir, uns aus den Augen verlierend – ich schluchzte, er fluchte vor sich hin –, durch ein immer dichteres Blau, das sich aus einer leichten Luft in so etwas wie Beton verwandelte, durch den schwer hindurchzukommen war. Ich kämpfte mich verzweifelt vorwärts. Endlich stürzte ich nach vorn, von der Materie losgelassen, und krachte in einen Kies, den ich, als ich den Kopf hob, als meinen erkannte. Neben mir mein umgekippter Stuhl. Da war mein Geißblatt, noch dürrer geworden, weil die noch grünen Äste von den Mutterstämmen keine Nahrung mehr bekamen. Der Gartentisch. Ich rappelte mich auf und stellte den Stuhl wieder hin. Setzte mich. Mein Wachstuchheft war vollgekritzelt. Wo war der alte Mann? Ich war tatsächlich so durcheinander, daß ich nach ihm rief, leise zwar nur, aber doch laut genug, daß meine Nachbarin, eine hübsche Werbeassistentin, aus ihrem Fenster sah. Ich winkte ihr und ging ins Haus. Holte, um so was nicht nochmals zu erleben, das Rennrad aus dem Keller und fuhr los, zum ersten Mal in meinem Leben allein. Nach ein paar Tritten schon ging es mir besser, und als ich zum Dolder hochfuhr, atmete ich freier.

So fuhr ich weiter, südwärts. Nirgendwo kann man besser an nichts denken als auf einem Fahrrad. Ich dachte an Isa, meine Frau, ohne Schmerz. Kurz nach ihrem Aufbruch war ich an die Tür des Ateliers geschlichen, in dem sie zwischen Gipssäcken hauste, grau und staubig und glücklich, sich auf einer Liege räkelnd, deren zerknitterte Leintücher sie alle drei Tage zurechtzupfte. Nescafé, mit Wasser aus der Leitung aufgegossen. Ich preßte das Ohr an die Tür und horchte auf ihr Schnaufen. Aber ich hörte nichts, rein überhaupt nichts, und wußte, daß die beiden Verliebten mich erkannt hatten und sich lächelnd die Zeigefinger auf die Lippen legten. Da ist er, der Arsch, der geht schon wieder. Ich ging. Natürlich war niemand im Atelier, es war drei Uhr nachmittags, und der Liebhaber war im Kinderspital und operierte. Isa, keine Ahnung, was sie tat. Zu meiner Zeit, als wir uns liebten, als ich noch nicht radfuhr, war sie Bibliothekarin in der Zentralbibliothek gewesen, damit beschäftigt, die Manuskripte Conrad Ferdinand Meyers auf Mikrofilm zu kopieren. Sie konnte Meyer nicht ausstehen und hätte gern zu Gottfried Keller gewechselt. Aber da waren schon andere. Ich verliebte mich in sie, als ich – ich weiß nicht mehr, warum – nach Dokumenten zur Geschichte des Freisinns suchte, und einmal begleitete ich sie nach Arbeitsschluß wie zufällig

ein paar Schritte und sagte es ihr, und sie fiel mir um den Hals und küßte mich, und wir blieben den Rest der Nacht in einem Fliederwald. Es war Sommer. Eigentlich war sie damals noch mit einem Storm-Spezialisten zusammen, einem Hünen mit einer sanften Stimme, der hie und da an unsrer Tür pochte und Isa flüsterte. Wir ohne uns zu rühren, auch wenn der Kaffee in den Tassen kalt wurde. Die Blicke ineinander getaucht. Wir lachten, wenn er weggetappt war. Es war schön. Aber an einem Abend lag ein Zettel auf dem Küchentisch, der mir die neue Lage sagte. Ich habe Arbeiten von ihrem Freund gesehen. Wenn Giacometti nicht gelebt hätte: Hut ab. Giacomettis Tonmännchen gerieten übrigens jahrelang erbsengroß, auch wenn er mit hundert Kilo Lehm anfing. Einmal ging er zu einem Galeristen und holte eine Streichholzschachtel aus der Hosentasche und sagte, das ist die nächste Ausstellung. Die Statuen des Freunds waren schwere Bronzen.
Unversehens war ich weit über Chur hinaus gelangt und rollte die Rampen des San Bernardino hoch. Dieses Gras der Alpen, und die Kühe darauf. Die kalte Luft. Ich fuhr in einem großen Gang und kam schnell vorwärts. Überholte andere Hobbyfahrer, die, Hunden ähnlich, wenn diese an einem vor seinem Hof tobenden Kollegen vorbeitrotten,

mich nicht wahrzunehmen schienen. Auf der Paßhöhe tauchte ich den Kopf in einen Bach und stürzte mich in die Tiefe, in eine immer wärmere Luft hinein, die bald nach Pinien duftete. Palmen und Oleander an den Straßenrändern. Ich kam an mehreren Seen vorbei, und in roh in den Fels gehauenen Tunnels brachten mich mehr als einmal Wasserpfützen und herabgestürzte Steinklötze aus dem Rhythmus. In einem Restaurant, das aus einem Tisch auf dem Trottoir bestand, aß ich ein Sandwich und trank eine Limonade. Wahrscheinlich hatte ich ins Veltlin gewollt, weil in jenem einst herrlichen Tal genau jener Gottfried Weilenmann, von dem ich schon einmal erzählt habe, an einer noch älteren Tour de Suisse so wahnsinnig Tempo machte, daß Coppi und Bartali, die Stars von damals, den Anschluß verloren, als dann Hugo Koblet, Göpfs Freund und Komplize in den ersten Kehren des Bernina antrat. Ich habe diese Geschichte schon oft berichtet, einmal auch Isa. Deine größten Lieblinge, rief ich, als ich ihr gelangweiltes Gesicht bemerkte, waren Sportler. Goethe lief Schlittschuh, und Kafka brauste auf dem Motorrad. Jedenfalls, Hugo Koblet drehte an genau der Stelle, wo ich nun war, so fürchterlich auf, daß die Kastanienbäume zu fliegen begannen. Sein Charme war ihm jäh egal, er hatte den Mund offen und stierte zur fernen Paßhöhe hinauf. Oben war er mehr als drei Minuten voraus. Ich fühlte mich mehr und mehr wie er und imaginierte ein ganzes Feld von Abgehängten hinter mir. Die paar einheimischen Radler, die mich überholten, ignorierte ich. Beim Hospiz, immerhin auf 2300 Meter Höhe, sah ich Sterne und mußte mich ein paar Minuten lang hinsetzen. Es wurde auch Abend, später Nachmittag jedenfalls. Die Gletscher glühten. Mit Hugo ging es dann so weiter, daß er auch noch, wie ich, den Julier zu bewältigen hatte, eine kurze aber grauenvoll steile Rampe. Coppi und Bartali hatten sich erholt und eine Minute wettgemacht, vor allem aber hatte Hugo seinen Rivalen Ferdinand Kübler übersehen, der verbissen ein Rennen für sich allein fuhr und in Bivio in Sichtweite hinter ihm war. In Tiefencastel hatte er ihn eingeholt, und die zwei rasten zusammen dem Ziel in Chur entgegen, nicht allein wie ich jetzt. Ferdi wurde Erster, um eine Reifenbreite schneller, und Hugo weinte und vergaß, dem armen Göpf Weilenmann zu danken, der eine Stunde dreißig später eintraf, drei Minuten nach Kontrollschluß. Ich rollte durchs Rheintal. Es war die Mittsommernacht, in der die Sonne zwar nicht, wie in Schweden, gar nie unterging: Aber auch in Malans und Maienfeld tanzten die Mädchen unter Bäumen, in denen Lampengirlanden leuchteten. Musik wehte herüber. Am Kerenzerberg sah ich weit vor mir den Verleger. Natürlich glaubte ich zuerst zu halluzinieren, denn von hinten sehen alle Verleger gleich aus. Andrerseits trug dieser Radler seine Initialen auf den Hinterbacken, links ein riesiges P und rechts ein gewaltiges R, phosphoreszierende Rücklichter. Er war nicht allein, sondern tollte um eine Fahrerin herum, deren Lachen ich bis zu mir herunter hören konnte. Nochmals gab ich mein Letztes, wie so oft schon, und in Niederurnen hatte ich die zwei gestellt. Tatsächlich mein Freund. Die Frau war blond und trug einen Sturzhelm. Cécile? Ihr Leibchen warb für gar nichts, und auch ihre Rennhose war schwarz und neutral. Schöne Beine. Obwohl die beiden sich nicht umgedreht hatten, zogen sie, als ich bis auf ein Dutzend Meter aufgeschlossen hatte, das Tempo an, und ich hetzte im immergleichen Abstand hinter ihnen her. In Wädenswil schlug die Kirchturmuhr Mitternacht, die Stunde der Geister, die auch sofort wie Glühwürmchen in den Wiesen tanzten. Aber Cécile ließ sich nicht ablenken. Jetzt war auch der Verleger stumm geworden und fuhr in ihren Windschatten geduckt. Ich hatte mich an ihn gehängt und bewegte meine Beine wie in Trance. Am Bellevue war die Ampel rot, und wir warteten keuchend nebeneinander, ohne uns zu grüßen. Die

Rämistraße hinaufzukommen war der schrecklichste Teil der Fahrt. Weil ich keine eigenen Wege mehr zu finden imstande war, landete ich auch im Verlag, einer alten Villa an der Böcklinstraße, stellte das Fahrrad über das Céciles und trottete hinter dieser drein. Noch immer hatten wir uns nicht bemerkt. Blind saß ich in einem großen Zimmer, während in der Ferne Wasser rauschte. Später erwachte ich auf einem Sofa liegend, nur mit meiner Unterhose bekleidet und naß, und neben mir kniete Cécile und säuberte mich mit warmen Tüchern vom Dreck der Landstraße. Sie trug einen lila Morgenmantel und hatte den Sturzhelm nicht mehr auf. Lange Haare, die mich kitzelten, als sie sich über mich beugte. Der Verleger, in Jeans und Hemd, saß auf seinem Schreibtisch und schenkte sich ein Bier ein. Ich fuhr in die Höhe.

»Hallo!« sagte Cécile Pavarotti.

»Wo bin ich?«

»In guten Händen.« Sie lächelte den Verleger an, der zufrieden zurückgrinste. »Essen ist fertig.« Tatsächlich stand auf dem niederen Tischchen, um das herum sonst erbitterte Verhandlungen um Nebenrechtsprozente stattfinden, drei Teller und eine Pfanne, in der Spiegeleier dampften. Es gab Bier und Salami. Brot, knuspriges Brot. Ich aß wie ein Verhungerter, so schnell, daß für einmal der

Verleger nicht mehr als ein paar Krümel abbekam. Cécile löffelte ein Joghurt. Ich trank zwei Flaschen Bier. Endlich saß ich glücklich da, satt, erschöpft.

»Er hat ein Buch von mir verloren«, sagte ich zu Cécile. »Hüten Sie sich vor ihm.«

»Von mir«, antwortete sie, »hat er eins gefunden.«

Der Verleger goß uns Bier nach. Er war kleiner geworden, nicht mehr so titanisch wie früher, und glich, wenn er trank, einem gemütlichen Buddha. Ich beruhigte mich auch und berichtete von meiner Monsterfahrt durch den Süden. »Ich werde«, sagte ich, als ich fertig war, »das Leben Gottfried Weilenmanns beschreiben. Ich recherchiere jeden Atemzug.«

»Fein«, sagte Cécile.

»Absolut grauenvoll«: der Verleger.

Cécile stand auf. »Gehen wir schlafen.« Sie gähnte. Auch der Verleger erhob sich. Er wischte dabei das Salzfaß vom Tisch und stieß, als er es aufheben wollte, einen Schrei des Entzückens aus. »Da ist es ja!« Auf dem Boden kniend, zerrte er an einem Manuskriptbündel, das unter einem der Tischbeine klemmte. »Der Tisch hat gewackelt, jetzt erinnere ich mich.« Er befreite das Manuskript – zerriß dabei die Titelseite – und gab es mir. Während ich darin blätterte, strahlte er mich begeistert an, immer noch auf den Knien. Von der ersten Seite war

nur noch jenes Stück übriggeblieben, das den Titel nannte. Das brennende Buch. Der Name des Autors war zerfetzt. In meinem Roman hatte es doch kein brennendes Buch gegeben! Aber obwohl mir das Manuskript fremd vorkam – vergilbtes Papier, als habe es den Tisch seit Jahren gestützt –, klemmte ich es mir unter den Arm und ging ins Freie. Es roch schon nach Morgen, und in den Bäumen sangen die Vögel.
Ich ging ein paar Schritte im kühlen Kies, als jemand aus einem Gebüsch gesprungen kam, schrecklich wie ein Kobold, ein junger Mann mit einem Gesicht voller Pickel und weit aufgerissenen Augen.
»Sind Sie der Verleger?« keuchte er.
Ich schüttelte den Kopf.
»Ich heiße Müller«, flüsterte er heiser. »Eugen Müller. Ich habe Ihnen ein Manuskript zugeschickt, mit meinem Namen auf dem Titelblatt, verstehen Sie. Aber ich bin selber aus Herrliberg. Ich kenne die Leute alle, und die mich, und auf keinen Fall darf mein Name genannt werden, weil jedes Wort meines Buchs wahr ist, genau nach der Wirklichkeit gemalt, diesem Sumpf, diesem schrecklichen Sumpf, wenn Sie verstehen, was ich damit ausdrücken will.«
»Tu ich«, sagte ich. Ich war so schrecklich müde,

daß sogar dieser seltsame Herr Müller sofort von mir abließ und in sein Gebüsch zurücksprang. »Danke!«
Als ich wegfuhr, kam auch Cécile aus dem Haus. Sie trug wieder ihr Radlergewand. Der Verleger winkte am Fenster, eine schwarze Gestalt. Ich konnte nicht sehen, ob Cécile zurückwinkte. Ich tat es jedenfalls. Unten im Garten hüpfte der picklige Autor, ein Scheusal, und versuchte sich dem Verleger bemerkbar zu machen, erfolglos, denn dieser schloß das Fenster und löschte das Licht.
Zu Hause war ich zu erschöpft, um einschlafen zu können, und blätterte in den unvertrauten Seiten. Eine IBM, wie ich auch eine hatte, aber mit einem anderen Kugelkopf. Handschriftliche Korrekturen hie und da. Einzig den Rotstift des Verlegers erkannte ich zweifelsfrei. Am Anfang hatte er einiges gestrichen, in der Mitte viel, und am Schluß alles.

Als ich am nächsten Morgen aus dem Haus trat, prallte ich gegen den alten Mann, einen Greis, der sich an der Brüstung meines Klofensters festhielt, gelb im Gesicht, voller Flecken. Speichel lief aus seinem Mund. Er keuchte. Stank. Furchen zwischen den Augen, die er geschlossen hielt. Er zitterte und stöhnte. War am Sterben. Ein Krankenwagen fuhr vor – der Wirt der Rose hatte ihn alarmiert –, und zwei Sanitäter zwangen den Alten auf eine Liege. Er hielt die Hände, Knochen eher, flehend zur Brüstung hin gereckt, sagte etwas. In seinen Haaren hing ein dürres Gänseblümchen. Als der Krankenwagen anfuhr, wurde sein Schädel im Rückfenster nochmals sichtbar. Er schrie aus einem Mund ohne Zähne. Seine weit offenen Augen waren weiße Löcher. Dann stürzte er um, und der Wagen verschwand um die Ecke. Der Geruch, der in der Luft hing, machte mich so elend, daß ich ins Haus zurückging.

Ich nahm das Manuskript, setzte mich an den Gartentisch und begann zu lesen. »Dies ist die Geschichte eines Knaben«, las ich, »der so unglücklich war, daß er sich für rasend glücklich halten mußte, um zu überleben. Keiner lachte so laut wie er. Keiner riß mehr Witze. Keiner dachte mehr als er, daß die Welt genau so wie das Zuhause sei. Niemand hatte schrecklichere Ängste, die er für Abenteuer hielt, die es zu bestehen galt.«

Das war nicht meine Geschichte. Ich hatte mich unglücklich gefühlt, weil ich mein Glück nicht erkennen konnte. Bei mir hatte die Sonne den ganzen Tag über geschienen, aber ich dachte, irgendwo strahle sie noch heller. Ich bin einer von denen, die von ihren Mamas über Jahre hin liebevoll getragen worden sind, und *einmal* ließen sie uns fallen, und über diese eine Beule jammern wir dann ein Leben lang. Wieso nicht? dachte ich. Wieso soll ich nicht einmal ein Buch lesen, das mich nichts angeht? Den Anfang wenigstens, um den alten Mann zu vergessen, der jetzt starb. Im übrigen hatte der Verleger, neugierig noch oder großzügig, die ersten Seiten nicht durchgestrichen.

»An einem Sommerabend«, las ich weiter, »stand ich, sechs oder sieben Jahre alt, am Rande eines Getreidefelds, zwischen Kamillen, Mohn und Kornblumen. Es war heiß. Eine steile Wiese, durch die ein Weg zu mir herunter führte, war in Brand geraten. Flammen züngelten auf beiden Seiten des Wegs, der bei mir unten um einen alten Schrebergartenschuppen herum zu einem Wald hin abbog, hinter dem ein Dorf lag, dessen letzte Häuser die Grenze berührten. Ich hatte Käfer gejagt oder mit meinem Genital gespielt; war jedenfalls allein. Aus dem Wald kam ein Mann gerannt. Sogleich wußte ich, daß er nicht lustig lief, so wie ich zuweilen, weil das Leben schön war. Auch war es zu heiß zum Rennen. Er lief mit angewinkelten Armen, kam näher und näher und bog, während ich bewegungslos dastand, in den Weg ein, der zur brennenden Wiese hinaufführte. Jetzt sah ich ihn gut. Er war jung, ein Kind fast noch, keuchte, und in seinen Augen lag Panik. Jenseits der Grenze war Krieg. Wenn wir

manchmal den Stacheldrahtrollen entlang gingen, wurden wir still und sahen scheu zu den Bäumen auf der anderen Seite. Daß sie dort einfach so wuchsen, dachte ich, wie bei uns! Die Anemonen. Ein Windstoß, als sie noch Samen waren, und sie hätten bei uns gewurzelt.
Kaum war der kindliche Mann im Rauch verschwunden, tauchten aus dem Wald zwei neue Männer auf, rennend auch sie. Ein hechelnder Hund schleifte den einen hinter sich her, die Nase am Boden. Der andere, ein magerer mit einer Habichtsnase, keuchte mehrere Schritte hinter den beiden her. Der Hundeführer, der eine Art Uniform trug, hielt einen Revolver in der Hand. Lieber Gott, murmelte ich, mach, daß sie ihn nicht erwischen. Der Mann mit dem Revolver rief: ›Wohin?‹, und ich zeigte in die Richtung, in die der Gehetzte gerannt war. Der Hund kannte sie schon. Auch die Verfolger verschwanden in der brennenden Wiese.
Im Getreidefeld war ich übrigens gerade eben auf den Mantel meiner Schwester gestoßen, ein durchweichtes Bündel, und hatte zuerst gedacht, ich hätte die Schwester selber gefunden. Ein kleines entzückendes Mädchen, das alle liebhatten. Jetzt ging ich mit ihren nassen Lumpen dem Rauch entgegen, dem Feuer, hinter dem ich wohnte. Ich fürchtete mich, weil der Weg eine nur schmale

Gasse in dem Feuergeprassel bildete, einen glühendheißen Kanal, der vom Rauch zugequalmt war. Aber da ratterte plötzlich ein Leiterwagen an mir vorbei, mit meinem Vater drin, der die Deichsel zwischen den Beinen hielt. An ihn geklammert die Schwester, kreischend vor Begeisterung. Auch zwei, drei Hunde waren im Karren, und ein paar weitere rannten hinter ihnen drein. Sie bogen ums Schrebergartenhaus herum in den Seitenweg ein und verschwanden. Fast sofort danach hörte ich ein Krachen und Splittern und wußte, daß sie die Kurve verfehlt hatten und in den Brennesseln lagen.
Die Mutter war in der Küche. Sie tanzte allein zwischen den weißen Möbeln, langsam und schwebend, und ihre Lippen bewegten sich, als sänge sie ein stummes Lied, ein lustiges, denn zuweilen lachte sie. Ihre Augen sahen mich an, ohne mich zu erkennen. Sie drehte sich schneller, so daß ihr Rock zu fliegen begann. Sie trug keine Strümpfe und hatte dicke braune Schenkel. Als ich ihr den Mantel in die Hände drückte, tanzte sie sofort mit ihm, als sei er ein Mensch. Tatsächlich wurde er ganz lebendig, schwang seine blauen Arme, und Wasser rann aus ihm auf die Steinplatten. Es sah lustig aus, und ich klatschte in die Hände vor teilnehmender Freude. Aber plötzlich warf die Mutter den Mantel

ins Waschbecken und biß sich in einen Finger. ›Mama!‹ rief ich. ›Ich bin's!‹ Aber sie hatte Wichtigeres zu tun. Ich war immer ein Wiesel gewesen, ein Eichhörnchen, und kletterte also fix zum Fenster hinaus und balancierte hoch über dem Erdboden – blaue Hügel am Horizont, über ihnen hohe Wolken – einem schmalen Sims entlang, gegen die Hausmauer gepreßt. Ich tat das oft. Wespen surrten um meinen Kopf. Den Weg hinauf, weit weg noch, kamen die Hunde, die Schwester und der Vater, der den Leiterwagen hinter sich herzog. Die Schwester plapperte, der Vater hörte still zu, und die Hunde tollten um die beiden herum. Alle verschwanden um eine Ecke des Hauses. Als ich mein Abenteuer bestanden hatte und am andern Ende des Gebäudes atemlos durch das spiegelnde Glas des Schlafzimmerfensters starrte, trat innen mein Vater durch die Tür, zerrte die Mutter am Arm und schüttelte sie, so daß sie für einen Augenblick dem Mantel glich, als er mit ihr tanzte. Der Vater war rot im Gesicht, von den Brennesseln?, öffnete eine Schublade des Nachttischs und schob sie ebenso schnell wieder zu. Die Mutter stand vor dem Bett und sah auf ihren Finger, der blutete. Als der Vater sich ihr wieder zuwandte und einen Arm in die Höhe hob, erblickte er mich und tat einen so heftigen Schritt auf mich zu, daß ich erschrak und in den

Garten hinunterstürzte. Ich rappelte mich aber sofort auf und rannte in die Büsche, die ich erreichte, bevor das Fenster aufging. Zitternd unter den Nadeln eines nach Harz riechenden Gehölzes liegend, merkte ich, daß ich den rechten Fuß gebrochen hatte.

Viele Jahre früher war mein Vater einmal mitten in der Nacht aufgewacht, und im mondhellen Geviert desselben Fensters hatte die Silhouette eines Mannes gestanden, eines Zwergs beinah: sagte mein Vater, der mir die Geschichte dann oft erzählte. Leise jedenfalls beugte er sich aus dem Bett, zu jener Schublade hin, in der ein Revolver lag, den Einbrecher zu töten. Aber die Mutter wachte auf und rief, Lieber, was tust du? Faßte nach dem Vater. Als er am Fenster war, lag der Garten verlassen im bleichen Mondlicht. Er schoß ein paar Mal in die Büsche und lauschte, und dann legte er sich wieder zur Mutter, die so erregt war, daß sie sich an ihn klammerte und nicht zu beruhigen war. Bis in den Morgen hinein stöhnten sie zusammen. Bei Tagesanbruch kam die Polizei und sicherte die Spuren.

Als ich gezeugt war, geboren, winzig noch, war ich immer mit der Mutter. Es war herrlich. Die Sonne schien. Schwalben flogen, kleine Käfer kletterten Grashalme hoch, die vor meinen Augen schwankten. Die Erde duftete. Musik wehte aus den Fen-

stern. Damals waren noch keine Hunde bei uns. In den Granitplatten der Wege glitzerten feine Kristalle. Der Stein war heiß. Ich machte meine ersten Schritte, nackt, mit ausgebreiteten Armen, taumelte begeistert zu meiner Mutter hin und stand gegen sie gepreßt, die Nase in den roten Stoff ihres Sommerrocks gewühlt. Die Arme um ihre Hüften. Alles roch. Das ganze Haus war voller Frauen, die mich hochwarfen, auf die Brust legten, sich mit mir im Gras wälzten und mich zwischen ihren Beinen träumen ließen, einen Grashalm im Mund. Sie lachten, wenn ich unter ihre Röcke kroch. Rannten davon, und ich hinter ihnen drein, so daß sie sich mir gleich wieder unterwarfen, auf dem Rücken liegend, und ich in ihren Händen zappelnd über ihnen. Kreischend vor Glück. Tausend Küsse kriegte ich. Floh vor ihnen endlich zur Mutter, die mich, strenger schützend, hochhob. Ich saß auf ihrem Arm wie auf einer Festung und winkte den Mädchen, den Frauen, die in der Ferne lachten.
Ich habe keine von ihnen vergessen: Eine war eine Französin, eine dicke Lachnudel, die mitten aus ihrem Gegiggel heraus in Tränen ausbrechen konnte. Sie hatte rote Haare und spazierte mit mir jenen Stacheldrahtrollen entlang. Im Schatten der Bäume war es kühl, während über den Wipfeln der Sommer tobte. Wir lagen im Moos und aßen Bee-

ren, und sie sang Lieder, die auf französisch von ihrem alten Leben erzählten. Einmal hörten wir raschelnde Schritte jenseits des Stacheldrahts, und sie duckte sich mit mir zwischen Farne und hielt mir den Mund zu. Erzählte mir dann flüsternd, manche kröchen durch die Drähte in die Freiheit und würden, wenn die Grenzer sie erwischten, wieder zurückgejagt. Sie bewohnte einen Holzverschlag unterm Dach, in dem es so heiß war, daß sie nackt auf dem Bett lag und sich mit nassen Tüchern kühlte. Ich zog mich auch aus und kriegte auch einen kleinen nassen Lappen.

Neben ihr hatte eine kupferglänzende Schöne ihr Zimmer. Sie schlief den ganzen Tag, aber am Abend durfte ich in ihr Reich, das kühler war als das der Französin. Sie war nie nackt. Trug lange Tücher und setzte mich auf ihre Knie: sang und ließ mich im Rhythmus auf und ab wippen. Nachts, wenn ich ins Bett mußte, brach sie zur Arbeit auf. Sie sang Lieder in einem Nachtrestaurant für Große. Trug ein schwarzes Kleid und glitzernde Metallhalsbänder. Ringe um die Handgelenke bis zu den Ellbogen. Ihre Augen waren geschminkt, ihr Mund, alles. Sie hauchte einen Gutenachtkuß in die Luft und schwirrte wie ein in Ketten gelegter Kolibri davon.

Im Stockwerk darunter – dem über uns – wohnte

meine Tante. Sie hatte eine Katze und war selber eine. Braune Mandelaugen. Wir schnurrten zusammen, und sie erzählte mir Geschichten, etwa die, daß ein kleiner Junge in die Welt hinaus bis zum Erdenrand und weiter geht, sein Glück zu suchen, und als er nach vielen Abenteuern bei der Sonne ankommt, ist diese die Mutter, wartet strahlend auf ihn, und der Vater, der Mond, lächelt fern an einem andern Teil des Himmels.
Aber dann verschwanden die Frauen aus dem Haus, von einem Tag auf den andern, ohne ein Auf Wiedersehen zu sagen und zu meinen. Nie mehr habe ich einen größeren Verrat erlebt. Ich stand ratlos im leergeräumten Zimmer der Französin, in dem immer noch die beiden feuchten Lappen auf der Waschkommode lagen. Die Sängerin wurde von einem eleganten, ernst blickenden Mann mit einem Handwagen abgeholt, schleppte viele Koffer voller Etiketten die Treppe hinunter und girrte und gurrte und gab allen Küsse und vergaß mich. Ich sah, wie sie wegging, gegen die Schulter des Mannes gelehnt, der ihre Habe zog.
Meine Tante im ersten Stock war schließlich auch fort, und da merkte ich, daß auch Männer in diesem Haus lebten. Mein Papa, gut, aber im ersten Stock war plötzlich auch ein Onkel, allein jetzt, weil die Tante – sagte mein Vater – sich seine Schweinereien

nicht mehr bieten lassen wollte, mit einem Maschinengewehr, das er wegen seiner militärischen Stellung an seinem, glaube ich, Schlafzimmerfenster stehen hatte und das die ganzen Felder ringsum bis zur Grenze bestreichen konnte. Er kommandierte eine Abteilung, die Todesurteile aussprach, und fürchtete, ein feindliches Kommando könne über die nahe Grenze kommen und ihn verschleppen, obwohl ihm die Eroberungskraft dieser Feinde zuzusagen schien. Er behauptete trotzdem, auf allen schwarzen Listen zu stehen.
Wenn ich über die Wiesen streifte, dachte ich, daß er mich jetzt vor der Mündung hatte, meinen Bewegungen folgend. Er war oft in Uniform und schrie Befehle. Meine Mutter ging dann auf Zehenspitzen und hielt einen Finger auf den Mund gepreßt, wenn mir die Bauklötze umstürzten. ›Hermann arbeitet!‹ Der Vater brüllte: ›Und ich? Arbeite ich etwa nicht?‹ Aber dann war auch er still und hielt den Hunden die Schnäuzchen zu, wenn sie jaulen wollten. Er hatte irgendwann einmal mit den Hunden angefangen, ich weiß nicht mehr, wann und warum. Sie waren alle ganz kleine Hundchen, zwei oder drei zu Beginn, bald aber zehn oder mehr, hilflose verlorene von ihren Papas und Mamas ausgesetzte Geschöpfe, die ohne seine Hilfe verreckt wären.

Den ganzen Tag kauerte er zwischen ihnen und streichelte sie. Ich stand in einer Ecke und sah ihnen zu. Oft ging er mit der ganzen Meute spazieren. Dann beobachtete ich sie vom Hausdach aus, über dem Verschlag der Französin sitzend, der jetzt leer war. Hatte man sie über den Stacheldraht zurückgejagt? Der Vater ging wie ein Heiliger zwischen seinen Schützlingen, die bellend an seinen Beinen hochsprangen. Manchmal schleuderte er einen Stecken ins Kornfeld, und die Meute verschwand kläffend im reifen Gold. Nur der Vater war noch zu sehen, von den Hüften an. Zuweilen sprang ein Hund in den Himmel wie ein Fisch aus den Wogen eines Meers. Ich hatte mir aus einem Haselstecken ein Gewehr gebastelt, mit dem ich nach Vögeln schoß, und zuweilen auf die Hunde, und auf den Vater. In den Nächten flogen Flugzeuggeschwader hoch übers Haus, mit einem Dröhnen, das von ferne näher kam, laut und lauter wurde und endlich von einem Rand des Horizonts zum andern den Himmel füllte: und erst verklang, wenn ich schon alle Hoffnung aufgegeben hatte. Ich lag mit starren, offenen Augen im Gitterbett. Zuweilen schoß ein Flakgeschütz, das ganz in unsrer Nähe hinter dem Rundfunkgebäude stand, auf dessen Dach ein riesiges weißes Kreuz auf die roten Ziegel gemalt war.
Der Onkel war immer mit der Mutter im Garten,

weil der Garten so groß wie eine Plantage und bis zum letzten Winkel mit Gemüsen bepflanzt war. Hie und da kam ein Soldat mit einem Fahrrad, immer der gleiche, und prüfte die Produktion. Der Vater war ja mit den Hunden und hatte keine Zeit für die Gartenarbeit. Das heißt, zu Beginn hatten ihn Mutter und Onkel doch zu den Kartoffeln getrieben, aber er stellte sich so ungeschickt an – oder war es wirklich –, daß er den Schubkarren umkippte oder ins Wasserfaß fiel. Jedenfalls, bis weit zum Nußbaum hinunter, von dem im Herbst die Früchte prasselten, wucherten Bohnen, Kohlköpfe, Erbsen, Lauche, Beerenstauden, Mais. Ein ungeheures Grün. Gurken wie Schläuche, Kürbisse wie Türkenturbane. Ich sah zu den Sonnenblumen hinauf. In einem Schuppen hingen Bastzöpfe an Nägeln. Ich atmete ihren heftigen Geruch ein, wenn ich, ich meine: als ich einmal darin hockte und durch die Ritzen nach draußen zu den Tomaten spähte, zwischen denen meine Mutter mit einem flehend zum Himmel betenden Gesicht kauerte und sich mit den Händen an zwei rotleuchtenden Tomaten festhielt, deren Saft ihr über die Arme lief. Der Onkel war bei ihr, er eher wütend, verzweifelt, schüttelte sie, sich an ihren Hüften haltend. Sie flog in seinen Pranken hoch und nieder, als sei sie eine Puppe aus Stoff. Ihm war die Hose heruntergerutscht, und während er aufstand und sie hochband an die alte Stelle, lag die Mutter, flach auf dem Bauch jetzt, zwischen den grünen Stauden. Ich dachte, sie sei in eine Ohnmacht gefallen und der Onkel habe ihr nicht helfen können, aber da erhob sie sich ganz wach auf ihre Knie und band die Haare hoch. Ihre Hände waren voller Tomaten. Ich öffnete rumpelnd die Schuppentür und stürzte zu ihr hin, warf mich über sie, mich mit ihr wälzend und mich an sie drückend wie noch nie. Wie lachten wir! ›Genug!‹ rief die Mama endlich, lachend. ›Wo kommst du überhaupt her?‹ Der Onkel stand die ganze Zeit mit einem Spaten in der Hand da und sah uns an. Von dort, sagte ich, aus dem Haus. ›Dann geh zurück!‹

›Er spinnt!‹ brüllte der Onkel unvermittelt. ›Das sieht doch jeder, daß der nicht normal ist!‹

›Hermann‹, sagte die Mutter. ›Bitte.‹

Im Haus hockte der Vater zwischen den Hunden, etwa fünfzig süßen Wesen mit Schlappohren und rosa Schnäuzchen. Ich hatte sie auch gern. Der Vater bemerkte mich nicht und wälzte sich mit seinem Liebling, einem struppigen Bastard, hielt ihn über sich, der hilflos mit seinen Pfoten zappelte. Endlich sah mich der Hund, und der Vater folgte seinem hilfesuchenden Blick, rappelte sich auf und gab mir ein riesiges Bonbon, von denen er, obwohl Not und

Krieg war, immer ein ganzes Glas voll hatte. Die Mutter kam zur Tür herein, in den Gartenkleidern, auch die nackten Füße voller Tomaten, und ging ins Bad. Ich hörte das Wasser rauschen und rannte zur Badezimmertür, vor der ich, weil sie verschlossen war, wartete, bis sie endlich herauskam, in eine in helle Seidentücher gehüllte Königin verwandelt.
So kam meine Schwester zur Welt, Lena, und der Vater und ich hängten ein Band über die Tür, auf dem ›Herzlich Willkommen‹ stand. Ich war jetzt vier. Lena sah entsetzlich aus, weinte immer und saugte verschrumpelt an den Brüsten der Mutter, die sie auch gräßlich fand. Nur dem Vater gefiel sie. Ich diskutierte mit der Mutter die Möglichkeit, sie zu töten, bis sie mir das Thema verbot. Aber das stimmte nicht, was sie sagte, daß ich ein Ungeheuer sei. Ich hatte nur gedacht, daß der Vater früher, bevor er die Hunde rettete, auch einmal einen Wüstenfuchs im Tierladen gekauft und ihn nach ein paar Tagen zurückgebracht hatte, weil alle Vorhänge wie Fetzen aussahen. Die Mutter übrigens, fällt mir ein, konnte das Wort Sterben nicht über die Lippen bringen. Sagte immer irgendeine Verballhornung oder wechselte das Thema.
Später allerdings, als Lena gehen konnte, nahm sie sie ins Kornfeld mit, durch das ein schmaler Fußweg führte. Er war eine Abkürzung zur fernen

Bahnstation. Ich sah sie von der Birke aus, auf die ich jetzt lieber kletterte als aufs Dach. Lena wehrte sich, ließ sich an einem steifen Arm schleifen. Obwohl die Sonne schien, trug sie jenen blauen Mantel. Beide wurden immer kleiner, und endlich war nur noch die Mutter zu sehen. Ging, als sei nichts. Ich glitt vom Baum herab – schürfte mir die Hände blutig – und übte bis zur Rückkehr der Mutter den Kopfstand, den ich dann tatsächlich so gut beherrschte, daß ich sie den ganzen Weg vom Gartentor zur Haustür verkehrt herum näher kommen sah. Lena hatte den Mantel verloren. Sie weinte, und ich feixte und machte Gewehrgriffe mit meinem Haselstecken, bis die Mutter sagte, ich solle das lassen. Dann spielten wir zusammen, Lena und ich, Vater suchen oder etwas ähnliches, jedenfalls mußten wir in eine Erdhöhle kriechen und dort so lange ausharren wie wir nur konnten. Ich konnte es so gut, daß, als ich triumphierend wieder an die Erdoberfläche gelangte, weit und breit keine Lena mehr war. Ein kalter Abend, kaum mehr Licht. Ich schlug mir den Dreck von den Kleidern und trollte mich nach Haus. Dort hatte sich Lena unter die Hunde gemischt und schnappte wie sie nach den Belohnungen, die der Vater über ihren Näschen baumeln ließ.

Wenn ich jetzt mitten in der Nacht dem Sims entlang schlich, war es ruhig im Zimmer der Eltern. Die Betten schienen leer. Oder nur der Vater schlief, ja, so war es, denn die Mutter huschte unter mir durch den mondbeschienenen Garten, und ich glitt am Regenrohr ins Gras hinab und schlich hinter ihr drein – mein Fuß war längst verheilt –, im Schatten der Büsche und in gehörigem Abstand. Sie ging in der Mitte des Wegs und trug etwas Schweres. Ihr Ziel war der Fluß, der etwa eine Stunde entfernt floß. Dort stand sie, auf einer Brücke aus Holz, und starrte ins Wasser hinunter. Auf dem Geländer lag, was sie so schwer geschleppt hatte: ein Stein, ein Granitklotz, der zuvor beim Schuppen gelegen hatte. Sie umklammerte ihn wie einen Anker. Endlich bewegte sie sich und warf ihn in die Fluten. Kam mit so schnellen Schritten auf mich zu, daß ich sicher war, sie habe mich gesehen. Aber sie ging an mir vorbei. Sie weinte. Als ich am nächsten Morgen aufwachte, hantierte sie in der Küche, und ich rannte zum Schuppen, wo tatsächlich der Stein verschwunden war. Jetzt war an seiner Stelle ein heller fauliger Fleck, in dem Würmer wimmelten.

Eines Nachts hatte ich doch geschlafen, denn am Morgen war die Mutter verschwunden. Niemand sagte mir, wohin, und warum. Auch Lena war weg, wahrscheinlich hatte man sie auf den im Mondschein abfahrenden Karren hintendrauf geworfen.

Mit Lappen umwickelte Räder, damit ich nicht aufwachte, und alle Beteiligten flüsternd. Die Mutter starr aufrecht sitzend, ohne ihren Stein, der sie einst geschützt hatte. Irgendwie schien das Haus jetzt ohne Möbel zu sein, riesengroß. Mein Vater war stumm geworden, bellte höchstens manchmal mit den Hunden. Er stand stundenlang unbeweglich am Fenster, hielt die Stirn ans kalte Glas und sah den strömenden Regen dennoch nicht, und natürlich tröstete ich ihn und fütterte die Hunde. Sie blieben aber ihm dankbar. Ich lachte viel und hüpfte. Um mich herum war stets viel Vergnügen.
Einmal setzte mich mein Vater hinten auf sein Fahrrad, und nach einigen Stürzen kamen wir zu einem großen Haus, in dessen Garten ein Gespenst saß, das meiner Mutter glich, zwischen anderen Damen, die auch tot blickten. Das Gespenst kam eine Wiese herabgeschwebt und tätschelte meinen Kopf, ohne daß ich seine Hand spürte. Sie war aus Luft, oder ich war es, oder uns beide gab es gar nicht. Der Vater erzählte von den Hunden. Ich schrie aufgeregt, wie toll wir es hatten, bis mein Vater sagte, ja, aber nicht so laut. Dann fuhren wir wieder heim – stürzten noch öfter, bluteten an Händen und Knien – und vergaßen erneut zu essen.
Lena war auch wieder da. Sie hatte eine Zeit bei

der Tante verbracht, die jetzt irgendwo an einem schattigen Platz in der Stadt wohnte und mit einem andern Mann wahnsinnig glücklich war. Jeden Morgen, wenn ich aufstand, war sie schneller als ich gewesen und lag bereits in Papas Bett, Brot und Marmelade essend, während dieser Vater einen Köter bürstete. Ich mochte sowieso kein Frühstück und schloß leise die Tür.

Aus irgendeinem Grund war zwischen dem Vater und dem Onkel ein regelrechter Krieg ausgebrochen. Sie standen auf ihren Balkonen und schrien sich an, der Vater mit verdrehtem Hals nach oben blickend, der Onkel sich so weit über die Brüstung beugend, daß er herabzustürzen drohte. Arschloch, rief mein Vater, und der Onkel, er sei nicht bereit, weiterhin mit einem Kommunisten Tisch und Bett zu teilen.

Wenn der Vater erregt war, und das war er jetzt ständig, wurde er über und über rot und schwitzte Bäche. Er vergaß sogar die Hunde und stampfte Monologe brüllend durch die Säle unsrer leeren Wohnung. Manchmal packte er seinen Liebling oder mich an der Gurgel und schrie uns, die wir uns hilflos nicht befreien konnten, rasend vor Wut an, er sei eine perverse alte Sau: der Onkel natürlich. *Er* sei irre, nicht wir alle, und wenn er nicht das hohe Tier wäre, das er sei, und das Liebkind des Justizministers, der, als der Krieg noch jünger gewesen sei, auch nach brauner Scheiße gerochen habe, so säße er jetzt im Gefängnis oder in der Klapsmühle, dieser Hermann, weder Mann noch Herr. Nach all dem war der Hund, jener entzückende Bastard mit den Glaswollhaaren, richtiggehend froh, mit mir spielen zu dürfen, und wir tollten in den Feldern herum, bis wir nicht mehr konnten vor lauter Jaulen und Lachen.

So lagen wir just in jenem Kornfeld, in dem ich einst Lenas Mantel gefunden hatte – nun brannte es nirgendwo –, als auf demselben Weg, aber vom Haus her diesmal, erneut ein Mann gerannt kam, in Panik auch er. Näher kommend verwandelte er sich in meinen Onkel, dessen Gesicht ich kaum erkannte. Angst! Er bemerkte uns nicht – wir hatten uns in die Ähren geduckt –, bog ums Schreberhäuschen und hetzte zum Wald hin. Er war noch nicht darin verschwunden, als oben auf der Hügelkuppe, sich gegen einen tiefblauen Himmel abzeichnend, ein winziger Hund auftauchte, tatsächlich einer von unseren Hunden, denn sofort folgte ihm ein zweiter und ein zehnter und bald ein fünfzigster, und inmitten des wild kläffenden Rudels rannte mein Vater, verändert auch er, wild plötzlich und gewaltig. Auch er kam schnell näher, von seinen Zöglingen zu einem Tempo angetrieben, das dem Onkel

keine Chance gab. Er hielt seinen Revolver in der Hand. Stumm und mit offenen Mäulern erhoben wir uns in unserm Kornfeld, der Hund und ich, und ich zeigte dem Vater mit dem ausgestreckten rechten Arm, wohin Onkel Hermann gerannt war. Vielleicht sah er mich, vielleicht auch nicht, die ganze Meute bog jedenfalls in den Weg zum Wald ein. So hatte ich meinen Vater noch nie gesehen: zum Töten entschlossen. Jetzt erkannte ich auch Lena. Sie war mit den letzten Hunden, rannte zuweilen ein paar Schritte auf allen vieren und erhob sich dann wieder, bis sie erneut hinfiel. Einen Augenblick lang schoß mir der Gedanke durch den Kopf, daß der Vater sich die armen Tiere nur herangezogen hatte, um eines Tages den Onkel zur Strecke zu bringen. Schon wurde die kläffende Meute vom Wald verschluckt, in dem der Onkel keine Minute zuvor verschwunden war. Nie schaffte er es bis zur Grenze, falls er sich von ihr Rettung versprach.
Es wurde still. Die Luft war so unbewegt, daß ein einzelner Käfer zu meinen Füßen, der einen Grashalm mit seinen Zähnen zermalmte, ein solches Getöse veranstaltete, daß wir uns zu ihm niederbeugten. Während der Hund an ihm herumschnüffelte und ich ihn mit einem Stöckchen stupste, kaute er ungerührt an einem dicken Stengel herum, auf dem so viele Blattläuse saßen, daß uns nicht klar wurde,

ob er auf sie oder auf das dicke grüne Gras aus war. Als ich den Kopf wieder hob – ein fernes Bersten von Hölzern hatte mich mißtrauisch gemacht –, brachen unsere Hunde aus den Bäumen, mitten unter ihnen der Papa, jetzt in umgekehrter Richtung laufend, mir entgegen, panisch nun, weil fast sofort auch der Onkel aus dem Unterholz stürmte, plötzlich mit einem Gewehr bewaffnet und von zwei riesigen Dobermännern begleitet, die er an langen Leinen bändigte. Wo hatte er sie her? Nach dem Blut meiner Lieben heulend, hetzten sie näher, während der Papa und die Hundchen stumm flohen. Nur ihr Keuchen. Lena war erneut mit den letzten, die erste, die zerrissen würde. Sie waren den steilen Weg hochgehetzt, bevor ich und mein Spielkamerad uns auch nur rühren konnten. Auf allen vieren verschwand endlich auch Lena hinter der Anhöhe. ›Wartet!‹ rief ich, und mein Hund bellte. Da war aber schon der Onkel bei der Wegbiegung und sah mich an, und ich deutete eifrig den Weg hinauf, in den die drei Hetzer auch sogleich einbogen.

Diesmal, als die Welt erneut leer war, wurde es nicht wieder still, sondern fast sofort drang ein Winseln und Kläffen über den Hügelhorizont, das nur zu unsern kleinen Hunden gehören konnte, und hie und da das tiefere Bellen der Dobermänner.

Schüsse fielen, peitschende, die aus dem Gewehr stammen mußten, und kleinere, die aus Papas Revolver kamen. Das Morden dauerte eine Ewigkeit. Aber allmählich gaben immer weniger kleine Hunde Laut, und endlich schrie, als letzter, einer in einer unbeschreiblichen Panik auf. Ich hatte einmal ein Foto von einem Affen gesehen, der von einem Leoparden verfolgt und eingeholt worden war und sich mit schrecklich offenem Maul zu seinem Mörder umdrehte: so hatte er gewiß aufgeheult, Sekunden bevor er zerbissen wurde. Lena? Dann noch ein Schuß, aus dem Gewehr oder aus dem Revolver?, und es war still, noch stiller als vor der Katastrophe, denn diesmal schwieg auch der Käfer.
Der Hund und ich flohen auf dem Fußweg durch das Kornfeld. Als vor uns die Bahnstation auftauchte, hatten wir uns bereits ein bißchen erholt, und der Hund brachte mir Stöcke, die ich ihm ins Getreide warf. Vor uns neigte sich eine rote Sonne dem Horizont zu. Ich hatte den Plan, mit dem Hund auf die hinterste Plattform einer abfahrenden Bahn zu springen. Wir würden uns bücken und die Fahrt am Boden kauernd machen – für den Hund das Natürlichste von der Welt –, und gewiß käme der Schaffner nicht bis zu uns. Aber als wir über den Platz vor dem Stationsgebäude gingen, jaulte mein Freund plötzlich auf, stürzte auf zwei

Hunde zu, die würdig an einer Litfaßsäule herumrochen, einen Köter mit Drahthaaren und eine viel kleinere Hundefrau, und die drei wälzten sich in unbeschreiblicher Wiedererkennensfreude, tanzten und bellten und lachten, und endlich wanderten sie, mein Freund in der Mitte, durch eine breite Allee davon.

Ich sah sie nochmals, als ich in der Bahn an ihnen vorbeifuhr und gegen alle Gesetze der Vorsicht aus dem Fenster lugte. Mein Kumpan schien aufgeregt etwas zu erzählen, während sein Papa, der alte Grauhaarige, an einem Baum schnupperte. Die Mama bewegte die Ohren. Eine Weile lang fuhr die Bahn der Sonne entgegen, die die Holzsitzbänke in ein rotes Licht tauchte. Aber dann wählte sie eine neue Richtung und rollte, mit mir auf der hintersten Plattform, kleiner werdend der Stadt zu, deren Lichter in der Ferne funkelten.«

Ein beizender Geruch kitzelte meine Nase. Meine Nachbarin, die Werbeassistentin, stand mit einer Heugabel in ihrem Garten und brannte das dürre Gras der Böschungen ab. Als sie mir winkte, stand ich auf und trat an die Hecke. Sie trug noch immer ihre Shorts und ein T-Shirt in Pop-Farben, hatte aber ein Kopftuch umgebunden und steckte in Gummistiefeln. So sah sie noch hübscher aus. Ich nahm Anlauf und warf das unnütze Manuskript mit einem kräftigen Schwung in die Flammen. Im Flug verteilten sich die Seiten und senkten sich wie hungrige Möwen über das Geflacker. Manche erhoben sich erneut, kaum brannten sie, und flogen lodernd ein paar Meter weiter, bis sie, schwarz, endgültig zur Erde hinstarben. Den andern half die Nachbarin mit der Heugabel nach. »Nichts für ungut«, rief ich. *»Forget it.«* Ich ging ins Haus zurück und schloß die Fenster. Als ich nochmals nach draußen schaute, hielt meine Nachbarin ein angesengtes Papier in der Hand und las es aufmerksam. Sie nahm langsam das Kopftuch von den Haaren, und diese fielen ihr bis weit über die Schultern.

Keine fünf Minuten später klingelte es, und der Verleger und Cécile standen da. Er in einem weißen Anzug von, sagen wir, Armani oder Beluga, sie in einem sienafarbenen Sommerkleid, das ihr wirklich gut stand. Beide grinsten verschmitzt, kicherten albern und überreichten mir nach vielem Hin und Her endlich ein Buch, einen dicken, in Plastik eingeschweißten Klotz, auf dem Céciles Name und unter diesem in einer anmaßend großen Prägeschrift aus falschem Gold jener vertraute Titel stand: Der Fall Papp. »80 000 Exemplare Startauflage«. Da war es also, das Meisterwerk.

Ich zerrte an dem Plastikzeug herum, kriegte es endlich auch kaputt und las die erste Seite. *»Immer schon habe ich jene lockeren Dichter bewundert«*, stand da in jenen Riesenlettern, die nur Analphabeten lesen können, *»die mit den Manuskripten ihrer Meisterwerke, von denen sie keine Kopien besaßen, unbekümmert U-Bahn fuhren oder Sauftouren durch Vorstadtkneipen veranstalteten. Natürlich waren die Manuskripte dann weg, verloren nach einer kalten Nacht unter den Neonlampen eines New Yorker Eiscafés oder aus dem Gepäckträger des Fahrrads gerutscht«* –
»Das kommt mir bekannt vor«, sagte ich zu Cécile. »Ist das von Ihnen?«
»Keine Ahnung«, sagte diese.
»Natürlich kommt es dir bekannt vor«, brüllte der Verleger. Er hatte sich in einen Berserker verwandelt, der seine Jungen verteidigt. »Ich habe dir die ganze Story erzählt!«
»Ist ja gut«, murmelte ich und schlug die letzte Seite des Buchs auf. *»Ich legte den Arm um ihre Schultern«*, las ich, *»und nach ein paar Schritten lehnte sie ihren Kopf an meinen – sie war ein bißchen kleiner als ich –, und ich spürte ihre weichen Haare. So gingen wir auf einer langen, schnurgeraden Straße, die von Kastanienbäumen gesäumt war, einer großen roten Sonne entgegen«* –

»Das gefällt mir schon besser«, sagte ich. »Ein bißchen kitschig, nicht wahr, aber gut. Zudem kommt's mir unbekannt vor.«
»Mir auch«, sagte Cécile.
»Ihr mit euren weichen Birnen.« Der Verleger war wieder etwas ruhiger. »Ohne mich wärt ihr verloren.«
»Wovon handelt Ihr Buch denn?« Ich stellte mich zwischen Cécile und meinen Freund und sah ihr in die Augen. »Nur so ins Grobe hinein.«
»Ich würde sagen«, antwortete sie, »es gibt jede Menge Hunde. Mindestens fünfzig. Aber das sind jetzt etwa zehn Jahre, daß ich das Manuskript dem Verlag geschickt habe. Ich hab's nicht mehr so präsent.«
»Vor vier Wochen noch«, sagte der Verleger über ihre Schultern hinweg, »hatte ich das Ding auf meinem Schreibtisch liegen. Ich war so was von begeistert, daß ich alles andere sofort aufgab. Der da« – ich nämlich – »ist mein Zeuge.«
»Das ist lieb von dir«, sagte Cécile. »Aber vielleicht hast du was verwechselt?«
»Ich kann ja wohl noch meine Autoren auseinanderhalten. Du willst doch nicht etwa behaupten, der da« – erneut ich – »gleiche dir auch nur im geringsten?«
»Nein.« Ein Lächeln, wie sie mir noch nie eins

geschenkt hatte und das er, da er hinter ihr stand, nicht sehen konnte. »Dir gleiche ich ja auch nicht.« Und zu mir, ohne seine Antwort abzuwarten: »Wovon handelt denn *Ihr* Buch?«

»Eben«, sagte ich und kratzte mich am Kopf. »Da liegt der Hase begraben.«

»Der Hund«, sagte der Verleger.

»Bitte?«

»Der Hund.« Der Verleger hatte wieder Oberwasser. »Im übrigen, wenn das Buch von niemandem ist, kriegt auch niemand Tantiemen. Sowieso sind alle großen Werke der Weltliteratur von niemandem. Die Bibel, das Nibelungenlied, die Josephine Mutzenbacher.«

Wir sahen stumm in den Garten der Nachbarin hinunter, die im qualmenden Gras stand und einen Stapel angesengter Papiere in der Hand hielt. Sie war so in ihre Lektüre vertieft, daß sie nicht bemerkte, daß die Flammen an ihren Beinen leckten. Als sie hätte schmoren müssen, so mitten im Feuer, tat sie einen absichtlos aussehenden Schritt zur Seite. Schüttelte den Kopf, wahrscheinlich, weil eine verbrannte Passage fehlte. Endlich seufzte sie und ging, mit den angekohlten Seiten in den Händen, in ihr Häuschen.

»Das glaube ich dir im übrigen nicht«, sagte ich viel zu laut zum Verleger, »daß du tatsächlich achtzig-

tausend Bücher gedruckt hast. So blöd ist doch keiner. Das sagst du so, für Cécile und für die Kunden, und in Wirklichkeit druckst du fünfhundert Stück und schaust, ob die jemand will.«
»Das glaubst du mir nicht?« sagte der Verleger fröhlich. »Na, dann komm mal mit!«
Er ging die Treppe hinunter, und Cécile und ich folgten ihm. Von mir bis zur Böcklinstraße, zum Verlag, sind es etwa zehn Minuten, zwölf, aber diesmal, mit dem stürmischen Verleger als Lokomotive, brauchten wir höchstens sechs. Ich keuchte, und auch Cécile, in ihrem Stadtkleid, war erhitzt, als wir ankamen. Der Verleger hatte, als er die Verlagsvilla erwarb, auch das alte Atelier des Malers, der der Straße ihren Namen gegeben hat, mitgekauft, einen hohen Holzverschlag, in dem Böcklin immerhin die ganze Toteninsel hatte aufbauen können, mitsamt ein paar nackten Göttinnen, als er sie irgendwann gegen Ende des vergangenen Jahrhunderts malte. Nun lagerte der Verleger seine Bücher darin, und weil der Platz bei weitem nicht ausreichte, hatte er ans Atelier einen turmhohen Silo angebaut, mit diesem durch eine brandsichere Metalltür verbunden. Cécile blieb draußen, aber der Verleger und ich stürmten durch den heiligen Raum, in dem zwischen sorgsam palettierten Büchern immer

noch Böcklins Arbeitsschrank stand, ein schiefer, verstaubter Kasten mit offenen Türen. Ein paar tausend Manuskripte gammelten dort vor sich hin, übereinandergeschichtet.
»Das ist der Müll«, rief der Verleger. »Dorthin werfe ich die Manuskripte, die nichts taugen.«
Wir gelangten in den modernen Anbau. Bücherberge, zu denen wir mit in den Nacken gelegten Köpfen hochsahen. Der Verleger deutete auf einen Stapel, der gewaltiger als alle andern war und zu den Wolken des Himmels zu reichen schien: Das waren also die ominösen 80 000 Bände. Eine mörderische Masse bedruckten Papiers.
»Und wer sagt mir, daß das Céciles Buch ist?« sagte ich, weil ich einfach nicht aufgeben wollte.
Der Verleger packte mit beiden Händen einen der Buchklötze und zog ihn mit einem satten Ruck heraus. Gab ihn mir. Er beobachtete mich triumphierend, wie ich, in einem letzten, verzweifelten Versuch, eine Abweichung zu finden, in dem Werk blätterte. Er sah nicht, daß – im Supermarkt zieht ja auch keiner die unterste Raviolibüchse aus dem Büchsenturm, aus denselben Gründen – die achtzigtausend Bücher in eine gefährliche Schräglage geraten waren und, bevor ich auch nur »Achtung« rufen konnte, auf uns niederstürzten. Ich rettete mich mit einem wilden Sprung, aber der Verleger,

mir ahnungslos noch im letzten Augenblick zugrinsend, wurde von den niedertosenden Bestsellern begraben. Ihr Lärm war so enorm, daß ich meinen Freund nicht schreien hörte, falls er es tat. Céciles Bücher füllten das Lager jedenfalls so sehr, daß ich die Tür ins Atelier kaum aufkriegte. Wie bei einer Lawine in unseren Bergen hätte man auch hier einen Trax gebraucht, Hunde, hunderte von helfenden Händen. Ich schloß die Tür leise hinter mir und ging durch das stille Atelier, an dessen Stirnwand ich eine Palette hängen sah, dunkelgrün alles in allem, tiefblau.
Ich war schon beinah an der Tür, als mein Blick auf den alten Kasten fiel. Keine Ahnung, warum, ich ging jedenfalls zu ihm hin und fischte mir das Manuskript herunter, das zuoberst lag. Es war tatsächlich noch nicht vergilbt, taufrisch sozusagen, und trug einen Titel, der vom Rotstift des Verlegers ausgestrichen war. Trotzdem konnte ich ihn gut lesen: Die Wahrheit über Herrliberg, oder so was. Erlenbach vielleicht. Der Autor war Eugen Müller, und die Geschichte, die Eugen Müller erzählte, war, soweit ich das beim diagonalen Lesen mitbekam, ziemlich genau die, die mir der Verleger nach unserer zweiten Fahrradtour erzählt hatte. Jedenfalls gab es einen Fritz und einen Ernst, und eine Erika war Ministerin und trat in jeden Fettnapf der Kor-

ruption. Nur der Schluß war anders, den hatte der Verleger, vom Radeln angeregt, wohl dazuerfunden. Bei Eugen Müller wurden die beiden kriminellen Großbürger einfach alt und verfraßen langsam ihre Millionen, schlecht gelaunt auf ihrer Terrasse hoch überm See frühstückend und den Niedergang der Menschheit beklagend, die sowieso fast nur noch aus Negern und Drogensüchtigen bestand. Wieso lag das Manuskript, das dem Verleger doch so ausnehmend gut gefallen hatte, hier beim Abfall? Ich wußte die Antwort, wollte sie mir aber nicht geben, denn der Gedanke, daß mein verschütteter Freund eigentlich *mein* Buch hierhin hatte tun wollen, tat allzu sehr weh.

Ich trat ins Freie hinaus. Cécile wartete am Gartentor.

Mit den Beinen baumelnd saß sie auf einem Mäuerchen, mit geschlossenen Augen ins Abendlicht hineinlächelnd. Das Kleid – aus einer Seide, die doch eher ockerfarben war – stand ihr viel besser als das Fahrradzeug.

»Hallo!« rief ich.

»Endlich!« sagte sie, öffnete die Augen und sprang von der Mauer herunter. »Wo ist Paul?«

»Das erzähle ich Ihnen später.« Ich schob sie durchs Gartentor auf die Straße hinaus. Kein Mensch weit und breit, ein wirklich besonders schöner Abend mit einem blauen Himmel, in den die Trauerzypressen Böcklins hineinragten. Hier, in diesem grünen Gewucher, hatte er sich seine südlichen Szenerien ausgedacht und war wohl auch der einen oder andern Zürcher Nymphe hintendreingehuscht.

»Die Erinnerung ist das einzige Paradies, aus dem wir nicht vertrieben werden können«, sagte Cécile. »Keine Ahnung mehr, wer das gesagt hat.«

»Ein Blödsinn so oder so.«

Ich merkte, daß ich immer noch den falschen und den echten Fall Papp mit mir trug, wie zwei Gewichtssteine, warf beide in Böcklins Garten und legte meinen Arm um Céciles Schultern. Nach einigen Schritten legte sie ihren Kopf gegen meinen – sie war kleiner als ich –, und ich spürte ihre Haare. So gingen wir auf der leeren, schweigenden Straße, die von Kastanienbäumen gesäumt war, küßten und küßten uns und begannen zu vergessen, wer wir waren, woher wir kamen, weshalb wir der Sonne entgegengingen.

Urs Widmer im Diogenes Verlag

Der Kongreß der Paläolepidopterologen

Roman. Leinen

Die Geschichte von Gusti Schlumpf, Instruktionsoffizier der Schweizer Armee und Begründer jener Wissenschaft, die sich mit versteinerten Schmetterlingen befaßt, und seiner lebenslangen Leidenschaft zu Sally, der rosigen Kämpferin für die Freiheit.

»Ein grandios versponnener Roman, der in der farblosen Flut der Verlagsprogramme daran erinnert, wozu Literatur fähig ist... Ein romantischer Entwicklungsroman... Ein Klassiker... Eine großartige Satire... Ein abgrundtief witziges Buch.«
Süddeutsche Zeitung, München

Auf auf, ihr Hirten! Die Kuh haut ab!

Kolumnen. Broschur

»Kolumnen sind Lektüre für Minuten, aber Urs Widmer präsentiert die Inhalte wie eine geballte Ladung Schnupftabak: Das Gehirn wird gründlich freigeblasen.« *Basler Zeitung*

Das Verschwinden der Chinesen im neuen Jahr

Prosa. detebe 21546

Ein Buch mit vielen neuen Geschichten, Liedern und Bildern zur sogenannten Wirklichkeit, voller Phantasie und Sinn für Realität, »weil es da, wo man wohnt, irgendwie nicht immer schön genug ist«.

Die gestohlene Schöpfung

Roman. detebe 21403

Modernes Märchen, Actionstory und ›realistische‹ Geschichte zugleich; und eine Geschichte schließlich, die glücklich endet.
»Widmers bisher bestes Buch.«
Frankfurter Allgemeine Zeitung

Indianersommer

Erzählung. Leinen

»Fünf Maler und ein Schriftsteller wohnen zusammen in einer jener Städte, die man nicht beim Namen zu nennen braucht, um sie zu kennen, und irgendwann machen sie sich alle zu den ewigen Jagdgründen auf. Ein Buch, das man als Geschenk kauft, beim Durchblättern Gefallen findet und begeistert behält. Was kann man Besseres von einem Buch sagen?«
Die Presse, Wien

Liebesnacht

Erzählung. detebe 21171

»Ein unaufdringliches Plädoyer für Gefühle in einer Welt geregelter Partnerschaften, die ihren Gefühlsanalphabetismus hinter Barrikaden von Alltagslangeweile verstecken.«
Norddeutscher Rundfunk, Hannover

Alois/Die Amsel im Regen im Garten

Zwei Erzählungen. detebe 21677

»Panzerknacker Joe und Käptn Hornblower, der Schiefe Turm von Pisa und die Tour de Suisse, Fußball-Länderspiel, Blitzschach, Postraub, Untergang der Titanic, Donald Duck und Sir Walter Raleigh – von der Western-Persiflage bis zur Werther-Parodie geht es in Urs Widmers mitreißend komischem Erstling *Alois*.« *Bayerischer Rundfunk*

Vom Fenster meines Hauses aus

Prosa. detebe 20793

»Eine Unzahl von phantastischen Einfällen, kurze Dispensationen von der Wirklichkeit, kleine Ausflüge oder, noch besser: Hüpfer aus der normierten Realität. Es ist befreiend, erleichternd, Widmer zu lesen.«
Neue Zürcher Zeitung

Das enge Land

Roman. detebe 21571

Hier ist von einem Land die Rede, das so schmal ist, daß, wer quer zu ihm geht, es leicht übersehen könnte. Weiter geht es um die großen Anstrengungen der kleinen Menschen, ein zärtliches Leben zu führen, unter einen Himmel geduckt, über den Raketen zischen könnten...

Shakespeare's Geschichten

Nacherzählt von Urs Widmer und Walter E. Richartz. Mit vielen Bildern von Kenny Meadows. detebe 20791 und 20792

»Ein Lesevergnügen eigner und einziger Art: Richartz' und Widmers Nacherzählungen sind kleine, geistvolle Meisterwerke der Facettierungskunst; man glaubt den wahren Shakespeare förmlich einzuatmen.«
Basler Zeitung

Die gelben Männer

Roman. detebe 20575

»Skurrile Einfälle und makabre Verrücktheiten, turbulent und phantastisch: Roboter entführen zwei Erdenbürger auf ihren fernen Planeten...« *Stern, Hamburg*

Schweizer Geschichten

detebe 20392

»Aberwitziges Panorama eidgenössischer Perversionen, und eine sehr poetische Liebeserklärung an eine – allerdings utopische – Schweiz.« *Zitty, Berlin*

Die Forschungsreise

Ein Abenteuerroman. detebe 20282

»Da seilt sich jemand (das Ich) im Frankfurter Westend von seinem Balkon, schleicht sich geduckt, als gelte es, ein feindliches Menschenfresser-Gebiet zu passieren, durch die City, kriecht via Kanalisation und über Hausdächer aus der Stadt... Heiter-, Makaber-, Mildverrücktes.« *Der Spiegel, Hamburg*

Das Normale und die Sehnsucht

Essays und Geschichten. detebe 20057

»Dieses sympathisch schmale, sehr konzentrierte, sehr witzige Buch ist dem ganzen Fragenkomplex zeitgenössischer Literatur und Theorie gewidmet.«
Frankfurter Allgemeine Zeitung